意識と目的の科学哲学

泉吏
大地
紘史

ars incognita
慶應義塾大学三田哲学会叢書

目次

はじめに

哲学では意識をめぐって長らくさまざまな議論が交わされてきた。しかし、意識の神経基盤に関する科学研究が着実に歩みを進めてきたのとは対照的に、意識の哲学研究においては論争の終息する気配すらない。この状況に対し、進化論的なアプローチを取り入れて突破口を開こうというのが本書の目論見である。この試みを首尾よく進めるためには、進化生物学をはじめとする関連分野についての科学哲学的な考察が欠かせない。

さらに本書では、意識の科学においてはある種の目的論（テレオロジー）が重要な役割を果たしうると主張する。この主張は少なくとも大胆に思われるだろうし、怪しげな疑似科学と誤解される恐れもある。それゆえ、一口に「目的論」といっても異なる考え方があり、その中には現代科学が受け入れられる（むしろ一部については受け入れるべき）主張があるということも確認しなければならないだろう。

意識のあらまし

まずは「意識」の大まかな輪郭を描くところから始めたい。心の哲学において意識はしばしば

「主観的経験」と密接に結びつけられる。すなわち私たちは何かを主観的に経験するとき、その何かについての意識をもつといわれる。わかりやすく言い換えれば、意識をもつ私たちは、それぞれ「一人称的な自分の視点（＝主観）から見た世界」の中に生きて（＝この世界を経験して）いる。そして、この主観的経験は自分が自分であるという認識がなくても可能であると思われる。たとえば、あなたが夕陽を眺めているとき、その意識はあなた自身ではなくて夕陽に向けられている。したがって、この意味での意識は「自己意識」（自分自身について反省的に考える能力）のように高度で複雑な認知能力を前提とはせず、基本的な知覚や感覚の能力に結びついている（それゆえ「感覚意識」や「知覚意識」という表現も使われる[1]）。

だとすれば、一定の知覚や感覚の能力を備えた生物はみな意識をもつ可能性がある。実際、魚類や頭足類（イカ・タコなど）、あるいは節足動物（昆虫など）も意識をもつと主張する論者が、ここのところ徐々にその数を増やしている[2]。そうした動物たちはさらに「自己意識」のように高度な認知能力を備えていると主張されることもあるが、本書の焦点はあくまでも基本的な知覚や感覚の能力と結びつく意識にある。

もう少しだけ意識の特徴づけをしておこう。あなたが夕陽を眺め、その赤い輝きを視覚的に経験しているとき、あなたは夕陽についての視覚的な意識をもっている。その意識は「主観的」であるのに加えて、「個人的」かつ「私秘的」であるといわれる。つまり、ほかの誰でもなくあなた自身が経験している夕陽の赤さは、まさにあなた個人の主観的な意識であり、私があなたの隣に立って同じ夕陽を眺めたとしても、あなたの意識と私の意識が同じかどうかは決してわからない。もちろんあなたの意識を想像することはできるが、あなたが実際のところどのような意識をもっているのかは、あなた本人でなければ知りえない。このように述べると意識の客観的な定義など不可能であり、ましてやその科学的な解明は夢物語に思われるかもしれない。

意識の問題は解決困難か

実際にそのような主張がなされることもある。哲学者のチャーマーズは「意識のハード・プロブレム」という表現を使って次のような議論を展開した(3)。まず、意識が脳・神経系と密接に関連していることは間違いない。これは脳・神経系を損傷すると意識に変化が生じることなどからも明らかである。しかし、脳・神経系が物理的な存在であるのに対して、意識それ自体はどうみても物理的な存在には思われない。物理的な脳・神経系から、物理的なものとは少しも思われない意識がどのようにして生じるのかという問題は、解決の仕方すら皆目見当のつかない困難《ハード》な問題《プロブレム》である。その証拠に、特定の意識が生じる際に発火するニューロン（神経細胞）については多くの事実が解明されているが、意識とニューロンの関係そのものは一向に解明される気配がない。したがって、意識の問題は物質の集合体である脳や身体、そしてその振る舞いである行動機

能によって科学的に解明可能であると主張する物理主義（唯物論）は誤りだとされる。(4)

近年のチャーマーズは少し立場を変えて、意識の問題は現代の科学のパラダイムでは解決できないが、未来の科学のパラダイムの下でならば解決されるかもしれないと考えているようである。(5)その未来の科学のパラダイムにおいては、経験そのものが質量・電荷・時空などと同じように世界の基礎的な特徴とみなされるという。これをマッギンという哲学者の主張と比較してみよう。彼によれば、そもそもヒトの認知能力では意識と脳・神経系の関係を解明することはできない。それはサルが量子力学を理解できないのと同じで、私たちの認知能力の限界を超えている。(6)この「認知閉鎖説」の主張に比べれば、未来の科学に期待を寄せられるだけチャーマーズの考えは楽観的であるといえるだろう。しかし、私たちは、さらにもう少し楽観的になってもよいのではないかと思っている。つまり、現代の科学にパラダイム・シフトのような革命的変化が起こらなくても、意識の問題の解明に向けて大きな進展がありうると考えているのである（ただし、後述するように、現代の科学の枠組みに一定の修正を加える必要はあるだろう）。

私たちを勇気づけているのは、近年とみに盛んに行われている意識の進化研究である。先ほどは意識の問題を「解決の仕方すら皆目見当のつかない困難な問題」と表現したが、解決の仕方すら皆目見当がつかなかったのは、問題の定式化の仕方がまずかったからではないだろうか。意識の神経基盤という「近因」だけでなく、進化という「遠因」を考慮に入れれば、新たな展望が開けるかもしれない。[7]

意識の進化研究

本書で主に念頭に置いている意識の進化研究はファインバーグとマラットの『意識の進化的起源』、ギンズバーグとヤブロンカの『動物意識の誕生』、ゴドフリー＝スミスの『タコの心身問題』などである。これらはいずれも二〇一〇年代後半以降に出版されており、斬新なアイデアと最新のデータに基づいた興味深い議論が展開されている（以下では特に断りのない限り、これらの著者の主張は上記の著作のそれを指す）。

「意識の進化」をテーマにした研究はこれらが初めてというわけではない。ハンフリーの『内なる目』やミズンの『心の先史時代』などの先例もある。しかし、そうした研究では「自己意識」のように高度で複雑な認知能力に焦点が合わせられているため、考察の範囲は必然的にそうした能力をもちうるヒトやその近縁種に限定されていた。[8]

近年の意識の進化研究では、より広範囲の生物にみられる原始的な意識が主題になっている。すなわち、ものを見たり、音を聞いたり、匂いを嗅いだり、痛みを感じたりする際に生物がもつ意識に焦点が合わせられている。考察の対象となる生物には、脊椎動物全般（哺乳類・鳥類・爬虫類・両生類・魚類）に加え、頭足類や節足動物などの無脊椎動物も含まれる。こうした広範囲の動物群のそれぞれに関する認知・神経科学的知見が重要な役割を果たすことは疑いえない。さらに脊椎動物全般が意識をもつとすれば、意識の進化的起源は少なくとも脊椎動物が誕生した時期（五億六千万から五億二千万年前のカンブリア爆発）にまで遡るので、古生物学のデータも含めた長期的な進化の視点が意識研究には欠かせないだろう。

次章では、近年の意識の進化研究を牽引するファインバーグとマラットの『意識の進化的起源』を俎上に載せる。そして彼らの方法論や哲学的背景を吟味しながら、意識の進化に関する彼らのやや理解しがたい主張を合理的に解釈する方法を探る。

第1章　意　識[1]

以下では意識の中でも視覚的な意識に的を絞って論じる。視覚意識に関する研究がとりわけ盛んであり、また著者の一人（鈴木）が視覚の進化的起源を専門的に研究しているからである。とはいえ、本書で展開される議論の大枠は聴覚意識や痛覚意識などにも当てはまるだろう[2]。

形態失認

あなたがこの本を書店や図書館で手に取ったのなら、おそらくこの本を目で見てから摑んだことだろう。そのときあなたはこの本の形や、表紙に印刷されている文字や模様を視覚的に経験したはずである。物を摑むという私たちの行為は、物を見るという視覚的な経験や意識と切り離せないように思われる。

ところがグッデイルとミルナーによる脳損傷患者に関する一連の研究は、ヒトの行動制御の大部分が無意識的に行われている可能性を示唆している[3]。「形態失認」と呼ばれる症状を示す患者は、物体の形態についての視覚意識を欠いているようにみえる。グッデイルとミルナーの研究に協力したＤＦというイニシャルの患者は、物体の形態を認識したり、識別したり、説明したりすることができない。たとえばリンゴの簡単な線画をみても、それを模写することができない（彼女の「模写」は絵が下手というレベルのものではなく、リンゴの線画を見て描いたとは到底思えない代物である）。記憶に基づいた描写ならばできるので、描写能力に問題があるわけではない。目の前の物体の形態を認識できないために、模写することができないのである。

彼女は、長方形のカードをポストの投函口のような挿入口の傾きに合わせるように指示されても、目を瞑っているかのように出鱈目な有様で、ほとんど傾きを合わせられない。ところが、カードを挿入口に挿入するように指示されると、驚くことに素早く正確に挿入することができる。彼女は物が見えていないようにみえる一方で、物が見えていないとできないはずのことができてしまうのである。

この奇妙な症例をグッデイルとミルナーは以下のように説明する。脳内で視覚情報が流れる経路は複数ある。後頭葉の一次視覚皮質からは二つの視覚経路が伸びており、後部頭頂皮質に向かう背側《はいそく》経路は視覚的な運動制御、下部側頭皮質に向かう腹側《ふくそく》経路は物体の形態や色の認識に関わる（図1参照）。ところで患者ＤＦは脳損傷により腹側経路の大部分を失っているが、背側経路は無傷のままである。以上を踏まえると、ＤＦの示した奇妙な振る舞いは異なる視覚経路の損傷と保存によって説明できる。彼女は形態の認識に関わる腹側経路を損傷したためにリンゴの形態や挿入口の傾きを認識できなかったが、視覚的な運動制御に関わる背側経路は保存されているた

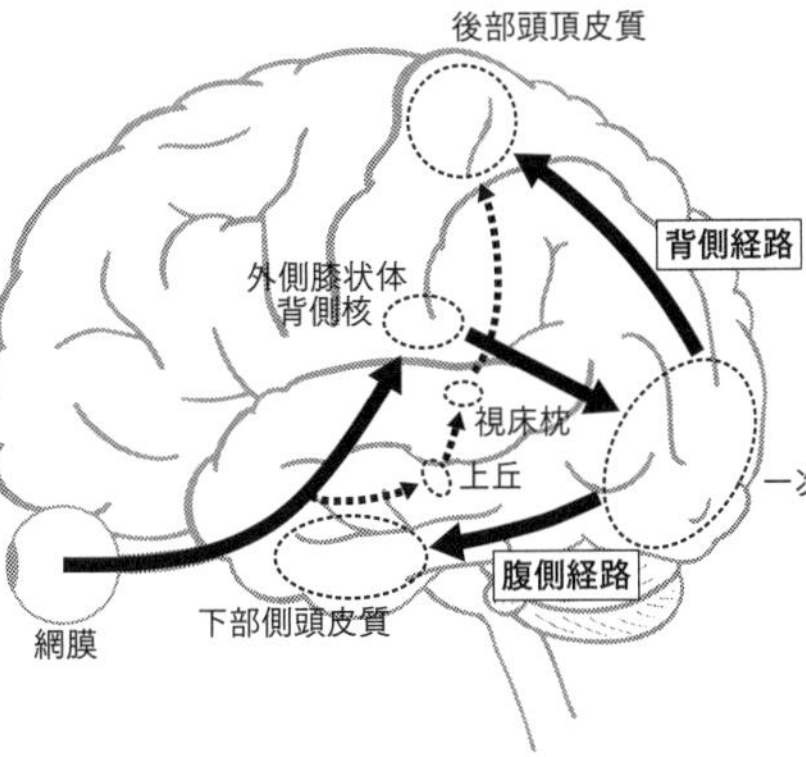

図１　網膜から脳内に流れる視覚情報の経路（出典：グッデイル＆ミルナー 2008、68 頁、図 4 - 2 をもとに作成）

めにカードを挿入口に入れるという行動はできたのである。

盲視

いっそう奇妙な症例が「盲視」である。ヴァイスクランツによれば、一次視覚皮質を損傷した患者は損傷部位に対応する領域についての視覚的な経験を失っているようにみえる(4)。彼の実験に協力したＤＢというイニシャルの患者は、目の前のスクリーンに何が投影されているかと尋ねられると、「何も見えない」と答える。だが、投影されている線が水平か垂直か（あるいは投影されている文字が「Ｘ」か「Ｏ」か、縞模様が縦か横かなど）を推測で答えるように指示されると、偶然レベル以上に正確に答えられる。こうした患者は視覚意識を欠いている（その意味では「盲目」である）が、見えていなければできないはずのことができてしまう（この意味では「見えている」）ので、「盲視」と呼ばれる。

　この奇妙な症例も、形態失認と同様に、神経科学的な説明が可能である。網膜から脳内に流れ込む視覚情報の経路は複数ある（図1参照）。網膜から外側膝状体背側核《がいそくしつじょうたいはいそくかく》を経て一次視覚皮質へと至った視覚情報は、下部側頭皮質に伸びる腹側経路と後部頭頂皮質へと伸びる背側経路とに分かれていく。形態失認患者の奇妙な振る舞いはこうした経路の複数性によって説明されたが、網膜から脳内に流れ込む視覚情報の経路はそれらだけではない。上丘《じょうきゅう》から視床枕《ししょうちん》を経て後部頭頂皮質へと至る経路もあるのだ。図1をみてわかるように、この経路は一次視覚皮質の損傷による影響を受けない。この経路が保存されているおかげで、盲視者はある意味で「見る」ことができた。しかし、一次視覚皮質に損傷があるので、損傷部位に対応する盲領域に置かれた対象については「何も見えない」と答えるのである。

意識的な視覚と無意識的な視覚

　形態失認と盲視の例からわかるのは、「視覚」が私たちの想像以上に複雑な現象であり、多様な神経基盤に支えられているということである。そして、視覚にはいわば「意識的な視覚」と「無意識的な視覚」があり、形態失認と盲視は前者にのみ問題が生じる特異な症例ということができる。両症例はともに意識的な視覚を支える神経基盤（一次視覚皮質を経て下部側頭皮質に伸びる腹側経路）の損傷と、無意識的な視覚を支える神経基盤（一次視覚皮質を経て後部頭頂皮質へと伸びる背側経路、または上丘から視床枕を経て後部頭頂皮質へと至る経路）の保存で説明できる。

ところで、脊椎動物の脳の基本構造はどの分類群でもだいたい同じである。大脳・間脳・中脳・後脳（小脳および橋《きょう》）・延髄という主要区分は魚類から哺乳類まで共通している。これは脊椎動物がみな共通の祖先に由来し、脳の基本構造をその祖先から受け継いでいるためである。このように共通祖先に由来するがために同じ特徴をもつことを進化生物学では「相同」という。

これを踏まえると、視覚とその神経基盤に関する上記の説明は脊椎動物全般に当てはまるように思われるかもしれない。実際、盲視に関する実験はサルでも行われ、同様の結果が得られている。[5] ところが、脊椎動物の中でも哺乳類と並んで脳が高度に発達している鳥類には、意外なことに同じ説明が当てはまらないのである。

鳥類の視覚

鳥類では、視覚情報処理に関わる主要な経路を視蓋《しがい》と呼ばれる部位が担っている。[6] この部位を損傷すると、鳥類は色やパターンなどの基本的な視覚的特徴の識別ができなくなる。ところで、視蓋は哺乳類の上丘と相同な部位である。言い換えれば、解剖学的にみて同じ部位が、哺乳類では上丘、鳥類では視蓋と呼ばれている。視覚情報はこの視蓋を通じて外套《がいとう》（哺乳類の大脳皮質に相当）へと送られる。
外套は哺乳類と鳥類において拡張した部位であり、視覚・聴覚・触覚・嗅覚といった感覚情報を統合するほか、高次の認知機能も担う。しかし、哺乳類の大脳新皮質におけるニューロンの配置は、鳥類における背側外套のニューロンの配置とは異なっている。哺乳類の大脳新皮質は六つの薄層からなるが、鳥類の背側外套にあるのは背側脳室稜《りょう》と呼ばれる層構造のない部位と、その外部に位置する高外套と呼ばれる部位である。高外套は厚い層がいくつかかさなってはいるが、哺乳類の大脳新皮質にみられる幾重にもかさなった薄層とは似ても似つかない(7)。

哺乳類においては上丘が無意識的な視覚を担う経路の一部であるということは、先述のヴァイスクランツの研究によって判明している。鳥類における上丘の相同部位が視蓋であり、視蓋が鳥類の視覚情報処理の主要な経路であるなら、鳥類の視覚は形態失認患者や盲視者の無意識的な視覚のようなものなのだろうか。だとすれば、意識的な経験をするのは哺乳類だけであり、それには哺乳類がもつのと同じような皮質構造が必要なのだろうか。

「皮質中心主義」への批判

ファインバーグとマラットは、意識には哺乳類のような皮質が必要であるという「皮質中心主義」の主張に反対し、脊椎動物はみな意識をもち、それは（現生のヤツメウナギのような魚類の姿をした）共通祖先に由来すると論じている。そして視覚意識はその起源においては大脳皮質と異なる脳領域（視蓋）にもっぱら支えられていたが、一部の系統ではその後の進化の過程で神経基盤が別の領域に移行していったと主張する。

彼らの思い描くストーリーは複雑なため、正確な理解には注意が必要である。彼らによれば、あらゆる脊椎動物は意識そのものを共通祖先から受け継いで共有しているが、神経基盤は進化の過程で変化している。つまり、相同な意識が非相同な神経基盤に支えられているというのである。同じ心的性質が異なる物理的性質によって実現される事態を哲学では「多重実現」という[8]。その意味では、ファインバーグとマラットは意識の多重実現を主張しているということができる。

「意識を定義する特性」

ところで、そもそもなぜすべての脊椎動物が意識をもつといえるのだろうか。ファインバーグとマラットは、彼らの理論的枠組みを述べる中で「意識を定義する特性」について考察し、リストにまとめている（表1参照）。そしてさまざまな生物種に関する膨大な文献を調査した結果、すべての脊椎動物がリストの特性を共有しているので、脊椎動物はみな意識をもつと結論づけている。

すべての脊椎動物がリストの特性を実際に共有しているかどうかという経験的な問題は、ここ

表1　意識を定義する特性（出典：ファインバーグ＆マラット2017、22頁、表2－1）

レベル1	**すべての生物に当てはまる一般的な生物学的特性** 生命：身体化とプロセス システムと自己組織化 階層、創発、拘束 目的律と適応
レベル2	**神経系をもつ動物に当てはまる反射** 速度と適合性
レベル3	**感覚意識をもつ動物に当てはまる特殊な神経生物学的特性** 複雑な神経階層、脳 入れ子状、非入れ子状の階層的行動 同型的表象、心的イメージ、感性状態を生成する神経階層 独特な神経間相互作用を生成する神経階層 注意 おそらく多様な神経の構造によって生みだされる感覚意識

では脇に置こう。仮にこの問題に関する彼らの見解が正しいとしても、それとは別に「意識を定義する特性」に対してはさまざまな異論が想定できる。だが、ここで強調したいのは、彼らはこのリストをいわば作業仮説として意識の進化的起源を探究し、「ハード・プロブレム」の解決に向けた研究プロジェクトを展開しているという点である。それゆえ、ある程度研究を進めた段階で見込み通りの展開にならなければ、作業仮説を改訂してやり直すことも視野に入れているだろう。このようなアプロー

チを端から否定することは建設的ではない。以下では表1のリストを詳細に吟味することよりも、これをもとに展開されたファインバーグとマラットの議論がどこまで筋の通ったものとして評価できるのかに注目しよう。

だがその前に、リストから垣間見える彼らの哲学的立場を簡単に確認しておきたい。

生物学的自然主義と神経生物学的自然主義

表1のリストに特徴的なのは、意識を徹底的に生物学的な特性として捉えようとしている点である（このスタンスは、経験そのものを質量・電荷・時空などと同じように世界の基礎的な特徴とみなして新たな意識理論の構築を提案するチャーマーズのそれと鋭い対照をなす）。意識をなんらかの仕方で自然界に位置づける考え方を「自然主義」と呼ぶならば、ファインバーグとマラットは意識を完全に生物学的な自然の範疇で理解しようとしているので、彼らの立場は「生物学的自然主義」と呼ぶことができる。生物学的自然主義は、意識をもっぱら物理学に還元しようとする立場へのアンチテーゼになっている。意識を自然界に位置づける際に生物学の果たす役割を強調することで、物理学一辺倒の還元主義ではうまくいかないと批判するのである。

実はこの考えはファインバーグとマラットよりも前にサールという哲学者が提唱したものとして知られている。両者が同じ考え方なのは偶然ではない。ファインバーグとマラットはほかでもなくサールの立場を出発点に位置づけているからである。そこでサールの主張も確認してみよう。

かの有名な心身問題は過去二千年にわたる数多の論争のもとになってきたが、これには一つの単純な解決策がある。一世紀近く前に脳に関する本格的な研究が始まって以来、この解決策は専門知識のある人であれば誰でも手の届くところにあったし、ある意味では、それが正しいということは誰もが知るところであった。すなわち、心的現象は脳内の神経生理学的過程によって引き起こされるものであり、それ自体が脳の特性なのである。この見解を当該分野のほかの多くの見解から区別するために「生物学的自然主義」と呼ぼう。心的事象や心的過程は、消化や体細胞分裂、減数分裂、酵素分泌と同様に、私たちの生物学的な自然史の一部なのである。(Searle 1992, p.1; サール 二〇〇八、一七頁［邦訳を参考に改訳］)

サールは意識の説明に関してきわめて楽観的であり、必要な道具立ては現代生物学の枠組みの中にすでに揃っていると考えている。

ファインバーグとマラットはサールの生物学的自然主義を大枠で認めつつも、意識の説明にとって肝心な部分が抜け落ちていると指摘する。そしてその部分を神経生物学や神経の進化に関する知見で補った「神経生物学的自然主義」という改良版の立場を提唱している。ファインバーグとマラットによれば、消化や体細胞分裂、減数分裂、酵素分泌などの生物学的な過程と意識は同列には扱えない。意識をもたらす神経生理学的過程には他の生物学的過程とは決定的に違う特性があると主張し、その解明に力点を置くところが、彼らとサールの相違点である。

とはいえ、やはり考え方の基本的な方向性は同じなので、サールの生物学的自然主義に対して向けられた批判[9]は基本的に神経生物学的自然主義にも当てはまる。神経生物学的自然主義を標榜するのであれば、そうした批判に応える責務があるだろう。他方で意識の進化について彼らの思い描くストーリーは神経生物学的自然主義の是非とは独立に評価できるものであり、本書ではそちらに的を絞って考察する。

意識の段階的な創発

表1をもう一度みてみよう。そこではレベル1から2、そして3へと、進化の過程で段階的に「創発」が起こり、最終的に意識が生みだされる過程が表現されている。レベル1の「すべての生物に当てはまる一般的な生物学的特性」は意識の前提条件として必要なものと位置づけられる。レベル2は神経系を備えたすべての動物に存在する反射の段階であるが、この段階においても意識はまだ成立しない。本書の主張を先取りしていえば、特定の刺激に対して型通りの反応をするという単純な構図において、生物の意識的な経験が役割を果たす余地はないからである。だが

(他の生物を含む)環境との相互作用が複雑になり、生物に能動的かつ柔軟な行動が求められるようになると、この基盤的な神経系から特殊な神経生物学的特性が創発し、レベル1、2の特性と一緒になって、独特な高次の性質としての意識が生みだされる。

ここで「創発」という用語に注意を促したい。この用語は論者によってしばしばニュアンスが異なるうえに、場合によっては論争含みの哲学的立場を支持していると思われかねないからである。この用語が強い意味で使われる場合には、創発によって生みだされる性質が、それを生みだす基盤的な要素の性質では説明できないことを含意する。この意味での創発は「強い創発」と呼ばれる。反対に、創発によって生みだされる性質がそれを生みだす基盤的な要素の性質で説明できる場合は「弱い創発」と呼ばれる。ファインバーグとマラットの念頭にあるのはどうやら後者のようである[10]。

いずれにせよ、意識の成立には三つのレベルのすべてが必要だとすれば、意識を理解するためには生命科学と神経科学双方の知識が求められることになる。最も基本となる「生命」について考えてみよう。少なくとも現時点において、意識をもつことが異論なく認められる存在の中に生命を有していないものはいない。それゆえ、生命は意識の必要条件であるようにみえる。個体発生において意識は生物個体の誕生後に現れ、やがてその死とともに消滅する。系統発生において意識は一部の系統において進化したが、その系統を構成する生物種がすべて絶滅すればこの世界から消え去る運命にある。

相同のスコープ依存性

意識が進化した系統としては、脊椎動物、節足動物、頭足類という三つの系統が候補に挙げられる。[11] これはファインバーグとマラットとは異なるアプローチから研究する論者（たとえばギンズバーグとヤブロンカ）とも共通する見解である。これら以外の系統には意識がみられないことから、意識はこの三つの系統で独立に進化したと考えられる。すなわち、意識はこれら三つの系統に関していえば相同ではない。相同でなければ何かというと、ファインバーグとマラットは三つの系統の意識が「収斂進化」したものである可能性に言及している（収斂進化については後述）[12]。

このことは上述の脊椎動物における意識の相同性に関する主張と矛盾するわけではない。脊椎動物の各系統でみられる意識は、すべての脊椎動物の共通祖先において誕生した意識に由来するので、相同であるといって間違いない。他方で脊椎動物や節足動物、頭足類の意識は、三者の共通祖先（すなわち左右相称動物の祖先）に由来するわけではない。もしも由来するとすれば、同じ共通祖先から進化した他の動物（ヒトデのような棘皮《きょくひ》動物やホタテガイのような二枚貝類）も意識をもつはずである。だが、これらの動物に意識を認める論者はまずいない[13]。これらの動物に実際に意識がないとすれば、脊椎動物と節足動物と頭足類の意識が相同であるとはいえない。

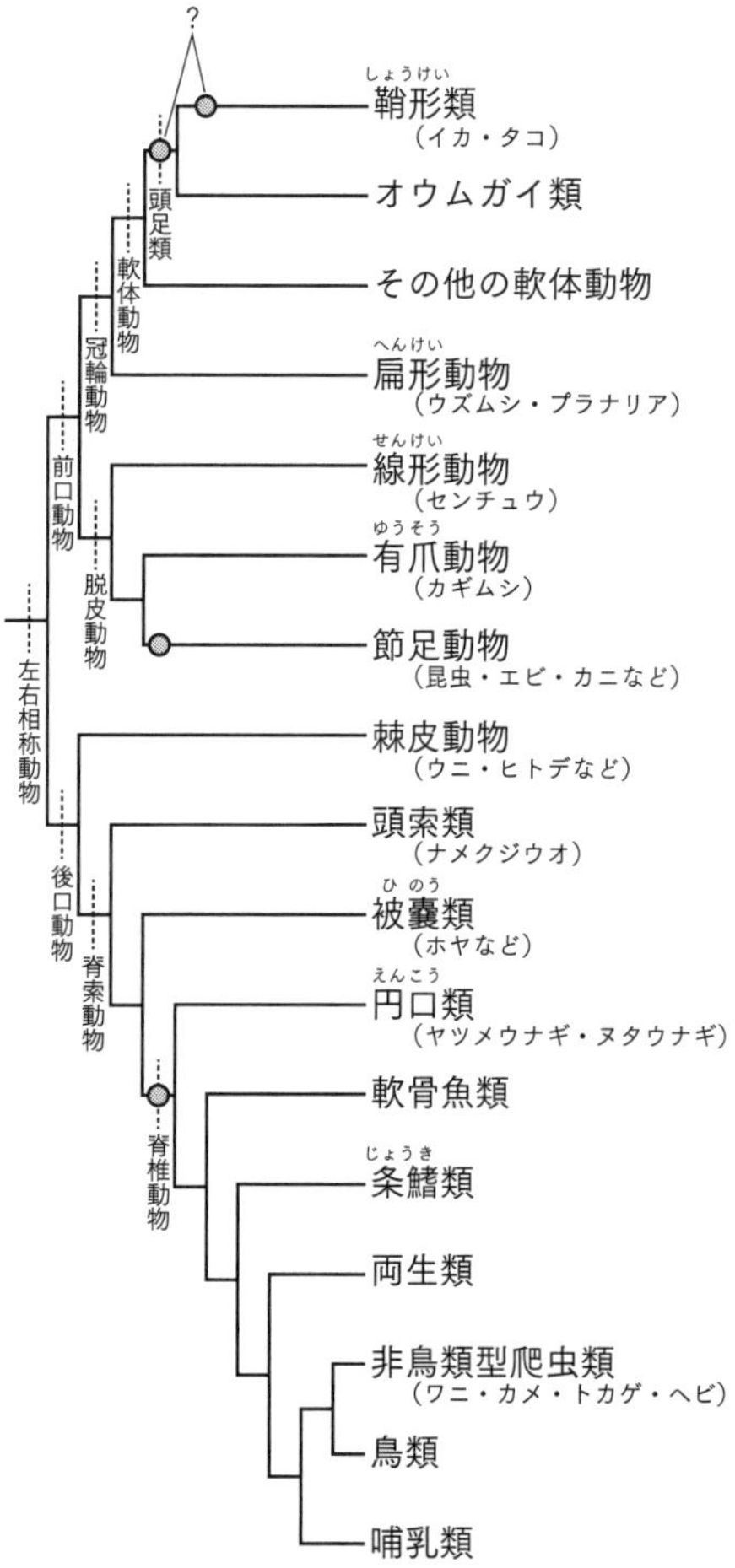

図２　意識の系統分布（出典：ファインバーグ＆マラット 2017、225 頁、図 10－7 をもとに作成）
◎は意識を獲得したと想定される系統を示す（上の「？」は、オウムガイ類が意識をもつかどうかが不明であることを表している）。枝長は実際の分岐の深さを反映しているわけではない。

一般に、ある特徴が相同であるかどうかは、視野に入れる系統樹の範囲（スコープ）に依存する。これを「相同のスコープ依存性」と呼ぼう。相同のスコープ依存性ゆえに、意識は動物界全体の中でみると相同でないが、脊椎動物に限定してみると相同なのである（図2参照）。

相同のスコープ依存性は生物進化において一般的な現象であり、意識以外の特徴にも当てはまる。たとえば翼について考えてみよう。鳥類はどの種も翼をもつが、それは鳥類の共通祖先から受け継いだためであり、鳥類において翼は相同である。哺乳類のコウモリや絶滅した爬虫類の翼竜（プテラノドンなど）にも翼はあるが、それらの翼と鳥類の翼は相同ではない。もしも相同であるとすれば、それらの翼は哺乳類と爬虫類と鳥類の共通祖先に由来することになり、哺乳類の一種であるヒトにも翼（あるいはその痕跡器官）があるはずだということになる。いうまでもなくこれは事実に反する。コウモリの翼と翼竜の翼と鳥類の翼は、それぞれの系統で独立に進化したものである(14)。

脊椎動物における視覚意識の進化

視覚を進化史の観点からみると、鳥類よりも哺乳類の方がよほど「変わり者」である。鳥類の系統では、脊椎動物の祖先における視蓋を通じた視覚経路が、進化の過程で多少の変化を被りながらも、基本的には保存されている。他方で哺乳類の祖先はかつて恐竜による捕食から逃れるために昼行性から夜行性に移行したが、それに伴い外界の情報を得るのにもっぱら嗅覚に依存するようになり、視覚が退化するという大きな変化が起こった。さらに白亜紀末に(鳥類を除く)恐竜が絶滅すると、捕食者に脅かされることのなくなった哺乳類は昼行性に戻り、視覚を再び発展させた。その際に発達したのが外側膝状体背側核を通って視覚皮質まで投射する経路(図1参照)だったのである。[15]

ファインバーグとマラットの「意識を定義する特性」を前提にすると、鳥類には意識が認められると思われるだろう。実際、鳥類が意識をもつという見解は多くの研究者の支持するところでもある。[16] ところで、鳥類の視覚情報処理の主要な経路は視蓋を通じた経路であるが、視蓋と相同な上丘は哺乳類においては無意識的な視覚を担う経路である。つまり、鳥類と哺乳類では視覚意識を担う神経経路が異なるのである。以上を踏まえると、視覚意識は両系統で独立に進化した(鳥類の意識と哺乳類の意識は相同ではない)と考えてしまうかもしれない。しかしながらファインバーグとマラットは、視覚意識は脊椎動物の系統においてはあくまでも相同であると主張する。彼らの議論は一見すると筋が通っていないようにみえる。これを合理的に解釈する方法はあるのだろうか。

鍵になりそうなのが先述の「多重実現」である。視覚意識そのものは相同であり、脊椎動物の共通祖先から継承されたものが鳥類と哺乳類のいずれの系統でも保存されているとしても、その神経基盤までが同じまま保存されているとは限らない。脊椎動物の祖先に似ていると考えられる現生のヤツメウナギにおいては視覚意識の神経基盤が祖先からあまり変更されずに保存されていることが期待できるが、他の系統では進化の過程で神経基盤が異なる領域に拡張されたり、変化を被ったりした可能性が高い。特に哺乳類の視覚は進化の過程で昼行性から夜行性に移行した後で昼行性に戻るといった紆余曲折を経験している。哺乳類の上丘が意識的な視覚ではなく無意識的な視覚を担っていることの遠因は、この特異な進化史に求められる。つまりもともとは視覚意識に関わっていた神経構造（視蓋）が夜行性に移行した哺乳類の祖先において単純化し、「本来の意識上の役割のすべて、あるいはほとんどを失って」[17]しまったのである。哺乳類では上丘と呼ばれるこの部位は、こんにちでは無意識的な視覚を担っている。哺乳類において意識的な視覚を担う神経構造は一次視覚皮質を経て下部側頭皮質に伸びる腹側経路だが、これは哺乳類の祖先が（鳥類を除く）恐竜の絶滅後に昼行性に返り咲いた後、新たに進化した構造なのである。

進化と多重実現

ここで一つ注意しておかなければならないことがある。「進化における多重実現」といえば、普通は相同ではなく「相似」を指す[18]。相似とは同様の選択圧下で進化したために機能や構造の類似した形質をもつことをいう。相似を引き起こす進化は「収斂進化」と呼ばれる。マグロとイルカのいずれにも背びれがあるが、これは相同ではなく相似の例である。背びれは水中での遊泳の安定性に寄与し、両者のそれぞれの祖先において背びれをもつことが生存に有利だったために収斂進化したと考えられる。この事態は、両者に共通する背びれが異なる進化過程によって生みだされているために、多重実現であるといわれる。

これを踏まえると、ファインバーグとマラットは「多重実現」という語の用法を誤っていると思われるかもしれない。彼らは「脊椎動物における相同な意識が多重実現されている」と述べるからである。しかしながら、彼らの主張は進化論的にみて少しも問題がない。この点を理解してもらうためには、相同性について少し解説しなければならないだろう。[19]

相同性における多重実現の有名な例に線虫の陰門（外部生殖器）発生がある。[20] 線虫の一種のC・エレガンス（*C. elegans*）では十二個の前駆細胞のうちの一部が皮下組織と細胞融合することで陰門発生が実現される。これに対して別種の線虫であるP・パシフィクス（*P. pacificus*）では細胞死（アポトーシス）によってそれが実現される。こうした現象は相同な形態の発生メカニズムが進化過程で保存されないことを示唆している。この種の発生メカニズムの進化的な変化は「発生システム浮動」と呼ばれている。

発生システム浮動には分子レベルの保存と変化が伴う。上記二種の線虫の陰門発生には相同遺伝子 *lin-39* が関与しており、その変異体は陰門を形成できない。しかし、この結果をもたらすプロセスは異なる（C・エレガンスでは細胞融合、P・パシフィクスでは細胞死の失敗による）。また C・エレガンスで陰門発生に必須となるWnt（「ウィント」と呼ばれるタンパク質）によって開始されるシグナル伝達は、P・パシフィクスではむしろ発生過程を抑制する。陰門は形態学的なレベルでは相同な器官であり、相同な前駆細胞により生じるが、異なる細胞間相互作用や非相同な制御ネットワークおよび分子モジュールを部分的に必要とするのである。

このことからわかる重要なポイントは、相同性は生物学的組織化の異なる階層レベルで乖離する可能性があるということである。低次レベルで従来からの要素が失われたり新要素が追加されたりしても、高次レベルでは形質が系統的同一性を保ちながら進化しうる。哲学者のエレシェフスキーはこの事態を「階層離断」と表現した[21]。階層離断が生じている場合、低次レベルで変化が起こって相同性が失われても、高次レベルでは相同性が安定的に成立する。階層離断は進化発生生物学ではおなじみの現象である。したがって、脊椎動物の相同な意識に対して「多重実現」という表現を用いるのに問題があるのならば、代わりに「階層離断」という表現を用いればよいだろう。

階層離断

階層離断は形態的特徴だけでなく、行動的・心理的特徴でも生じうる。行動的特徴の例としては裸鰓《らさい》類（ウミウシ）の屈曲運動が挙げられる。裸鰓類には左右の屈曲により遊泳する種と上下の屈曲により遊泳する種が含まれる。裸鰓類のあるグループの構成種はみな左右の屈曲を示すため、このグループでは屈曲運動が相同であると考えられている。ところが、その相同な行動に関わる神経結合を調べた結果、種ごとに大きな多様性がみられることが判明し、低次の神経レベルで進化的な変化が生じてきたと推測されている[22]。

次に心理的特徴に目を向けてみよう。哺乳類と鳥類の視覚には広範な違いが認められるが、それでも両者は爬虫類段階（あるいはそれ以前の段階）の共通祖先に由来するので相同な形質である。鳥類では飛行のために「太陽コンパス」などの特殊機能が備わるようになったが、哺乳類の祖先は先述のように進化の過程で夜行性の段階を経たために、その子孫の多くは色覚が貧弱である。ところが哺乳類の中でも霊長類は樹上生活に移行したために、緑の背景から色とりどりの果実を見分けることを容易にする色覚能力を二次的に進化させている[23]。

ほとんどの脊椎動物にみられる四色型色覚は、四種類の視物質（赤オプシン、緑オプシン、青オプシン、紫外線オプシン）によって支えられている。だが、哺乳類は夜行性に進化する際に緑オプシンと青オプシンを失い、二色型色覚に移行した。その中でもやがて昼行性に戻った旧世界猿は、残された赤オプシンの遺伝子重複と分化によって別の緑オプシンを「再発明」し、三色型色覚を新たに進化させた。色覚能力そのものは霊長類と鳥類が共通祖先から受け継いだものなので相同だが、霊長類と鳥類のもつ特定の種類の色覚は相同ではないのである。[24]

話を意識に戻そう。鳥類と霊長類が視覚によって得る情報には多くの違いがあるが、仮に視覚意識に反映されるような情報があるとすれば、それには「見るとはどのようなことか」という共通の側面があるはずである。鳥類と哺乳類は視覚のこの側面を共通祖先から受け継いでいる。視覚意識に反映される情報は視覚器官や神経系が進化的に変化するのに伴って系統的に多様化してきたと推測されるが、一人称的視点から視覚情報を享受するという意味での視覚意識は共通祖先から受け継いだものであり、脊椎動物においては相同である。

このように、脊椎動物の相同な視覚意識の神経基盤が相同でないことに不可解なところは少しもない。そうした現象はごくありふれた階層離断の一例として容易に理解されうるのである。

意識は生存に貢献するか

脊椎動物における視覚意識の進化について論じる際にファインバーグとマラットは「意識を定義する特性」（表1）を引き合いに出し、とりわけ「特殊な神経生物学的特性」を意識の規準として重視する。しかしながら、哺乳類の無意識的な視覚を支える情報処理経路（盲視や形態失認において保持されている経路）はこの規準によって除外されないようにみえる。上丘から大脳皮質へと至る経路は「意識の規準」を満たしているにもかかわらず、これらの経路は無意識的な視覚を支える神経基盤と考えられているのである。これは一見「意識を定義する特性」のリストに問題があることを意味しているようにみえる。

ファインバーグとマラットはこの問題に対処するために、哺乳類以外の脊椎動物の視蓋から外套へと至る経路を通じた視覚情報処理は生存に貢献するが、哺乳類であるヒトの盲視者の上丘から大脳皮質へと至る経路は生存に貢献しないと主張する。

魚類は、生存に必要な精細な感覚的区別をつけることができるほど、高レベルに刺激を処理する。意識をともなわず低レベルの感覚的弁別に依存していると実験室内で示された人間［盲視者］は誰であれ、ほとんど「感覚をもたない」のであり、仮に放置されれば生存することはできないだろう。（ファインバーグ＆マラット 二〇一七、二二九頁。［ ］は引用者補足）

ファインバーグとマラットは自らの議論を正当化するために「視覚意識は生存に貢献する」と主張しているのである。

生存への貢献を「意識の規準」に含めれば、盲視者や形態失認患者は意識的な視覚をもたないという事実を無理なく説明できるかもしれない。実際、生存への貢献は「意識を定義する特性」のレベル1「すべての生物に当てはまる一般的な生物学的特性」の一部（「目的律と適応」）に含まれているとも考えられる。

しかしながら、意識と生存を結びつけるのはあまり支持される考え方ではない（むしろ意識は生存に貢献しないと考える方が一般的である）。さらにはその結びつきを否定するような神経病理学的知見もある。たとえば形態失認患者は障害物を避けながら歩くことができるという報告がある。むしろ生存に大きな影響が生じそうなのは無意識的な視覚を失った場合である。形態失認と対照的な症状を示すバリント症候群の患者は、物の形は認識できるがそれを摑むことができない。盲視者についても障害物を避けながら歩くことができるという報告がある。さらには盲視のサルが日常生活シーンの画像における「動き」や「明るさ」、「色（赤－緑）」の特徴を認識して目を向けられるということを示した実験もある(25)。

これに対してファインバーグとマラットの主張が正しく、盲視者や形態失認患者が生存に困難を抱えているとすれば、意識はどのような仕方で生存に貢献するのだろうか。この問いに対する最終的な回答は第4章で提示するが、その前に意識と生存を切り離す見解にとって有利にみえる証拠をみてみよう。

半側無視

私たちの脳の頭頂連合野は体性感覚情報を他の感覚情報と統合して遠位空間にある対象物の空

間的知覚を形作る領域であり、その部分的な損傷は各部位に特徴的な症状を引き起こす。「半側無視」はその一つで、右頭頂葉を損傷した患者は絵の左半分を模写できないなど、自分から見て左側の空間をあたかも無視しているかのような振る舞いをみせる。(26)

右頭頂葉損傷患者は左側の空間を意識的に経験しないと考えられるが、これは彼らが左側の空間に関する情報を一切得ていないことを意味するわけではない。これを明らかにしたマーシャルとハリガンによる実験を紹介しよう。(27) 彼らの実験に協力したPSというイニシャルの患者に、同じ家を描いた二枚の絵を見せる。ただし、一枚の絵は家の左側が火事で燃えているように描かれている。「二枚の絵には違いがあるか」とPSに尋ねると、「ない」という答えが返ってくる。彼女は左側の空間を意識的に経験しないので、この答えは意外ではない。だが、聞き方を変えて「どちらの家に住みたいか」と尋ねると、彼女は火事で燃えていない方の家を選ぶ傾向があった。これは左側の空間に関する情報を彼女がなんらかの仕方で得ており、その情報を「家に住む」という生存に関わる判断において無意識的に利用した結果であると解釈することができる。

以上の神経病理学的知見からわかるのは、無意識的な視覚を通じて生存に関わる重要な視覚情報を入手できる場合があるということである。これを踏まえると、意識と生存を結びつける考えの説得力はかなり失われてしまうかもしれない。

意識と報告能力を結びつける見解

意識には哺乳類のような皮質が必要であると考える皮質中心主義者の中には、意識と結びつくのは生存能力ではなく「報告能力」であると主張する論者がいる。さらに彼らは報告能力こそが「意識の規準」に含められるべきであると論じている。[28]

こうした論者の主張が正しければ、意識の神経基盤は報告能力をもつ生物に限定されるべきであり、サケやハチの意識の探求はナンセンスということになるだろう。この主張はファインバーグやマラットのそれと真っ向から対立する。

どちらの言い分が正しいのだろうか。確かに意識と生存を安易に結びつけることは避けるべきだが、こんにちでは多くの研究者が多種多様な動物に意識を認めているという事実も無視できない。次章では、報告能力について検討するところから議論を始めよう。

第2章　行為者性

報告能力とはそもそもどのような能力のことなのだろうか。「報告」という字面から考えれば、それは第一にコミュニケーションにおける発話の能力であり、心理学の実験では実験者と被験者の会話において使用される能力を指すと思われる。そのような報告能力が意識と結びつけられる理由は何だろうか。たとえば実験において被験者が自身の心的状態を言葉で報告するためには、言語能力に加えて、自身の心的状態について自覚や内省をする能力がなければならない。こうした「高階」の心理過程があって初めて当の心的状態は意識的に経験されるのだと主張されることがある。[1] この種の「高階理論」の主張が正しければ、報告能力は高階の心理過程を媒介して意識と結びつくことになる。

しかしながら、実際の意識科学において「報告能力」と呼ばれているものに高階の心理過程は必須ではない。高階の心理過程を有していると通常は考えられない動物でも、サンプル刺激の色と合致するカラーチップを指さすように訓練して視覚刺激を「報告」させることができる。[2] だとすれば、意識科学における報告能力とは感覚刺激との正確な対応を示す（指さしなどの）「行為」をする能力である、といった方がよいだろう。

だからといって言葉によるコミュニケーションが意識科学における重要な指標になりえないわけではないし、ヒトの場合は実際重要な指標の一つになっている。だが、そうしたヒトのコミュニケーション能力もある種の「行為者性」を前提としており、それに依存しているという事実を見逃すべきではない。行為者性についてはさまざまな考え方があるが、本書では行為者性を「行為者（行為主体）が自身の環境の中で受け取った刺激に対して、能動的かつ柔軟に特定の行為を選び取って反応する能力」と捉える。ヒトの言語報告も、相手の指示や質問に対して特定の発話によって反応するという一種の行為とみなすことができる。

意識と行為者性を結びつける

意識と密接に結びつくのは報告能力ではなく行為者性であるとすれば、言語や自覚・内省などの高度な認知能力をもたない（と多くの場合考えられている）魚類などの「下等動物」にも意識があると主張することができる。

しかしながら、行為者性では意識的な知覚と無意識的な知覚の区別ができないという反論がなされるかもしれない。たとえば盲視者は視覚意識をもたないが、さまざまな視覚刺激に対して応答できるので、視覚的な行為者性と結びついているのは無意識的な視覚であり、行為者性と意識は乖離していると主張する論者がいる(3)。

この種の批判に対しては、行為者性と単なる身体運動（もしくはその制御）の違いが見過ごされている（あるいは両者が根拠なく同一視されている）と反論できるだろう。あるいは、意識と結びつく行為者性と結びつかない行為者性がある可能性が見過ごされているともいえる。健常者は両方の行為者性をもつが、盲視者は意識と結びつく行為者性を欠いている（そのため「何も見えない」と発話する）のかもしれない。

では、意識と結びつく行為者性とはどのようなものだろうか。この点について考える際に注目したいのは次の事実である。盲視者が視覚刺激に関する質問に偶然レベル以上の正確さで答えられるという現象は、実験者によって促されて（「あてずっぽうでもいいから答えてください」など指示されて）初めて観察される。盲視者が答えるのは実験者に強いられたからであって、盲視者自身には自ら進んで視覚刺激について報告する理由や目的はなかったのである(4)。

この意味での行為者性は「主体性」と呼んだ方がふさわしいかもしれない。「行為者性」と「主体性」はどちらも英語の「エージェンシー（agency）」の訳語であり、本書では両者を互換的に用いる。行為との関連性を強調する場面が多いので基本的には「行為者性」を用いるが、生物個体の能動性を強調する際には「主体性」を用いる。しかし「主体」は「サブジェクト（subject）」の訳語でもあり、その形容詞形の「サブジェクティヴ（subjective）」が「主観的」と訳されることにも注意を促したい。主観性が意識の特徴であることを思い出せば、意識と主体性や行為者性の結びつきはそれほど意外なものではないだろう[5]。

盲視者は、喉が渇いているときであっても、盲領域に置かれた（盲視者がそれについての視覚意識をもたない）水の入ったコップには手を伸ばさないという[6]。おそらく盲視者は夕空を見上げたとき、その盲領域に位置する金星が瞬いても、隣の人に「見てごらん、金星がきれいだよ」と告げることはないだろう。

意識と結びつく行為者性（主体性）が失われていない健常者であれば、喉の渇きを潤すためにコップに手を伸ばすだろうし、隣の人とささやかな感動を共有するために声をかけるかもしれない。だとすれば、意識と結びつく行為者性は行為の理由あるいは目的と密接に関係していそうである[7]。

意識と歯ブラシの摑み方

第1章の冒頭で、本を摑む行為と本を見る際の視覚意識の結びつきに言及した。あなたはおそらくこの本を適切な仕方で手に取ったことだろう。私たちの予想では、あなたが本棚からこの本を手に取ったとすれば、まずは背表紙の上の方に人差し指の腹を当てて手前にずらし、残りの指で背表紙を挟むようにして摑んだはずである。なぜそのような仕方で摑めたのかというと、これが本であるということをあなたが視覚意識を通じて認識できたからである。もしも本であると認識できなかったら、そのような摑み方はしなかったかもしれない。

摑むという行為を例にするなら、もう少し複雑な形状の物の方がよいだろう。あなたは歯ブラシをどのように摑むだろうか。あなたの目の前に歯ブラシの毛先の方が手前に来るように置かれたとしても、あなたは毛先を無造作に摑むことなどせず、多少不自然な姿勢になっても、遠くの柄の方に手を伸ばして摑むだろう。なぜそのような摑み方になるのだろうか。それは目の前の物体が歯ブラシであることをあなたが視覚意識を通じて認識したからであり、さらにその認識が歯ブラシという道具の機能に関する情報と統合されたからである[8]。

クリームとプロフィットによる実験[9]では、歯ブラシやフライパン、ドライバーなどの道具の柄の部分を被験者から遠い位置に来るように置いたうえで、被験者にそれらの道具を摑むように指示した。通常であれば被験者は柄の部分を摑む。しかし、事前に三〇の単語のペア（「カエル－ペンギン」や「チーズ－パン」などの同じ意味論的カテゴリーを構成する単語のペア）を覚えたうえで、各ペアの一方の単語が聞こえたら直後の二秒間にもう一方の単語を答えるという課題に取り組みながら道具を摑むように指示されると、被験者は道具の機能がわかっていないかのような摑み方をした（すなわち柄ではない部分を摑んだ）。しかしそれでも摑むこと自体は正確にできており、手の開き幅は摑む部分の大きさにぴったりと合っていた。これは背側経路の担う視覚的な運動制御には問題が生じていないことを示唆している。被験者が（柄の部分をもつという）適切な摑み方をすることができなかったのは、単語記憶課題が道具の機能を検索する高次の認知過程に負荷をかけたからだと考えられる。

この実験結果からは、道具の機能に関する情報が背側経路ではなく腹側経路と、それゆえ視覚意識と結びついていることが示唆される。では、腹側経路を損傷し、視覚意識を欠いた形態失認患者に対して柄の部分が遠くに来るように道具を置き、それを掴むように指示すると、どのような掴み方になるだろうか。上記の実験結果を踏まえれば、単語記憶課題を課された被験者と同様に不適切な掴み方になることが予想される。そして実際にグッデイルとミルナーが実験を行うと、患者ＤＦは予想通りに不適切な掴み方をしたのである。

意識の役割

視覚意識を欠いていると道具を適切な仕方で掴むことができない。この興味深い事実から意識の役割について何が言えるだろうか。グッデイルとミルナーの見解を参考に考えてみよう。

［…］究極的には、脳が行うことはすべて行為のためである。そうでなければ、脳が進化することはなかったはずである。［…］自然選択は行為の産物に作用するのであって、思考だけの産物に作用することはない。腹側経路はいくつかのやり方で行為に寄与している。たと

えば、行為の目標を決めるのは腹側経路だし、腹側経路のおかげで脳は実行すべき行為の種類を選択できる。腹側経路はまた、物を摑むときやサッカーボールを蹴るときに、力をどれだけ加えたらよいかを決めるのに支配的な役割を果たしている。（グッデイル＆ミルナー 二〇〇八、一五〇頁）

この見解を踏まえれば、意識は行為の目標（目的）の決定や行為の選択に関わるということができる。私たちは歯ブラシを目にしたとき、食後に歯を磨いていないことを思い出せば、歯を磨くために柄の部分を摑むだろう。歯ブラシは歯磨きをするための道具であり、歯磨きをする理由があれば、私たちはそれを適切な仕方で摑んで使用する（使い古した歯ブラシを掃除などの別の目的のために使用する際にはまた違う摑み方をするかもしれない）。これが可能なのは、私たちがそもそも棒の先に毛の付いている特殊な形状の物体を歯ブラシとして認識できるからである。その認識には腹側経路の担う視覚意識が欠かせない。視覚意識を欠くDFは歯ブラシを不適切な仕方で摑んでしまう。もちろんそれを手の中で回せば触覚的に歯ブラシであることを認識できるので、その後は適切な仕方に持ち替えられる。だが彼女は日常生活の中で歯ブラシを目にしたとき、歯磨きをするために自ら進んで柄の部分を摑むことはないだろう。

意識は行為そのものよりも行為の理由や目的に関係する。先ほどは行為者性を「行為者（行為主体）が自身の環境の中で受け取った刺激に対して、能動的かつ柔軟に特定の行為を選び取って反応する能力」であると述べたが、行為の能動的な選択は行為者自身のもつ理由や目的に基づいて行われるので、この意味での行為者性は意識と結びつくといって差し支えないだろう。

行為者性に高度な認知能力は不要である

意識と行為者性が頭の中ですんなりと結びつかない人もいるかもしれない。確かに行為者性はきわめて高度な認知能力（概念能力や内省的な自覚）を要求するものと位置づけられることがある。[10]そうすると行為者性はヒト以外の動物にはみられないものになるので（チンパンジーなどの近縁種は例外かもしれないが）、この意味での行為者性が魚類にもみられる意識と結びつくようには思われないだろう。

だが本書の考えでは、行為者性を高度な認知能力が必要なものと捉える必要はない。高度に柔軟な行為選択には高度な認知能力が必要かもしれないが、行為選択全般に高度な認知能力が必要なわけではないだろう。あるいは、行為者性にはさまざまな種類があるのであって、ここでは高度な認知能力が不要な類の行為者性に焦点を合わせているといってもよい。この種の行為者性であれば、ヒト以外の脊椎動物や一部の無脊椎動物（昆虫や頭足類）にも無理なく認められるだろう。[11]

行為が能動的に行われるとき、その背後には行為者自身が有するなんらかの理由や目的がある。たとえば私たちは喉が渇いたから水を飲むのであり、感動を共有するために隣の人に声をかける。このような行為は感覚入力に反射的に反応することで起こるわけではなく、行為者自身がもつある種の理由や目的に基づいて始められる。ただし、行為の際にその理由や目的が自覚されていなければならないわけではない（私たちは「私は今喉が渇いている」という信念を抱かなくても水を飲むことができる）。

理由と理解

行為に理由や目的があるといえるのはヒトだけであり、ほかの動物の行為に理由や目的はない、という批判がなされるかもしれない。あるいはヒト以外の動物が携わるのは行為ではなく「行動」であり、行動に理由や目的はなく、あるのは原因だけである、という批判も想定できる。

こうした批判に対しては、「理由」と「理解」は異なるということをまずは指摘しておきたい[12]。行為に理由があることと、その理由を理解していることとは、まったく別の話である。理由を伴う行為がなされるとき、その理由が行為者によって理解されているとは限らない。たとえば「サケが川登りをすることには理由がある」といえたとしても、「サケが川登りをする理由をサケ自身が理解している」ということはできないだろう。一方、私たちは自らの行為の理由や目的を原理的に理解することができる。行為の際に理由や目的がいつも認識されているわけではないが、他人から尋ねられれば、私たちは普通その理由や目的を答えられる。

行為者性の程度問題と多様性

批判者は次のようにも言うかもしれない。この行為者性概念は緩すぎて、植物や単細胞生物にも行為者性を認めることになってしまうではないか、と。樹木は水分や栄養分を得るために根を地中に張りめぐらせる。大腸菌は周辺のグルコースが枯渇すると、これを得るために移動を始める。このように言えるのであれば植物や単細胞生物にも理由や目的があることになるが、それは不合理ではないか。そもそも単細胞生物や植物は「行為」などしないだろう。

この批判に対しては次のように答えよう。自然界には多種多様な生物が、さまざまな特性に関して、さまざまな程度を示しながら存在している。行為者性も例外ではなく、さまざまな生物がさまざまな程度の行為者性を有している。

どの生物がどの程度の行為者性を有しているかは経験的な問題である。大腸菌は化学物質の濃度勾配に沿って移動する（これを「走化性」という）。この場合、行為と環境刺激の結びつきは比較的単純である。植物の場合はより複雑で、さまざまな環境変数（湿度、光、重力、温度、栄養分、土壌中の微生物の存在など）を感じ取るだけでなく、その経時的な変化を検知したり、複数の変数

（重力と塩分濃度など）の組み合わせに対して最適な反応を示したりすることができる。頭足類や節足動物、脊椎動物は、さらにいっそう複雑な仕方で環境刺激に反応し、状況に応じて柔軟な振る舞いをみせる。本書の主眼はこうした動物のもつ比較的発達した行為者性である。だが、それも進化の過程で単純なものから徐々に発展してきたものであるということを忘れてはいけない[13]。

人間中心主義とアナバチの「愚かさ」について

上記の批判の背後には、理由や目的は人間だけがもちうるものであり、行為者性概念は人間にしか適用できないという「人間中心主義」の思想が垣間見える。この思想はかなり根強いため、本書の議論を理解する際の障害になりうる。以下ではこの障害を除去するために、この思想の問題点について論じておきたい[14]。なお、人間以外の生物にも広く行為者性や理由あるいは目的の概念を適用できるという考えの下では「行動」と「行為」を区別することにあまり意味はない。このため本書では両者を互換的に用いる[15]。

そもそも理由や目的は人間だけがもちうるものだと考えられてしまうのはなぜだろうか。人間の自己愛以外に、少なくとも二つの理由が考えられる。一つは生物についての無思慮、もう一つは目的論の排除である。以下では前者を扱い、後者については章を改めて論じる。

現代の生物学や認知科学の発展は目覚ましいが、それでも私たちはさまざまな生物の認知能力について、知らないことの方が知っていることよりもずっと多い。それにもかかわらず、哲学者をはじめとする多くの人々が高度な知性はヒトにしかみられず、ヒト以外の動物は素朴な本能に導かれて行動するに過ぎないと断じてきた。たとえば、アナバチ（ジガバチ）のような昆虫は「自動機械」であることを示すという次の「実験結果」が繰り返し引用されてきたのである。

産卵の時期になると、アナバチは卵を産むための穴を掘り、コオロギ狩りに出かける。アナバチはコオロギに針を刺し麻痺させるが、殺しはしない。コオロギを穴の中に引きずりこみ、そのそばに産卵し、飛び去ったきり二度と戻らない。しばらくすると、卵が孵り、幼虫たちは麻痺したコオロギをえさにする。コオロギは、急速冷凍のアナバチ版とでも言うべき状態に保たれているために腐らない。人間の目には、このような精巧に組織だてられ、目的を持っているかに見える型にはまった行動は、人間を納得させるだけの論理と思慮深さの趣があるかのように見える。しかしこれは、より細部を検討するまでの話である。たとえば、蜂の所定の手続きは、麻痺したコオロギを穴まで運び、それを穴の入り口において、穴の中に入って異常がないかを確かめる。そして再び外に出て、コオロギを引きずり込む、というものである。蜂が穴の中で事前調査をしている間に、コオロギを数インチ動かしてしまうと、蜂は、穴から出てきたときに、コオロギを巣穴の入り口まで戻すが、穴の中にまでは入れようとしない。再び、穴に入って異常がないことを確認するという準備手続きを繰り返してしまう。蜂が穴の中にいる間にもう一度コオロギを数インチ移動させると、再び蜂は、コオロギを入り口まで運んでチェックのために巣穴に入る。アナバチは、決してコオロギをじかに運び込むことを思いつかない。ある場合には、この行動は四十回も繰り返され、つねに同じ結果だった。（デネット 二〇二〇、一七一一八頁）

これとまったく同じ文章がホフスタッターの『メタマジック・ゲーム』の第二三章「創造のひらめきは機械化できるか?」にもみられる。いずれにおいても工学者のウルドリッジの著作からの引用とされているが、これはウルドリッジが実験した結果ではない（彼の著作では典拠が示されていない）。(16) デネットやホフスタッターの本はよく読まれているのでこのアナバチの「愚かさ」についての記述は有名だが、その「元ネタ」を知る人はどれほどいるだろうか。

本能／理性二分法の崩壊

実は同様の記述が、一世紀以上前のモーガンの著作『動物行動』にも見出され、そこでは『ファーブル昆虫記』で知られるファーブルの実験結果として紹介されている。ファーブルは動物の本能と人間の理性を峻別しており、アナバチの行動は彼のそうした思想の下で記述されたということに注意したい[17]。

モーガンの本で同様の記述がある箇所を読むと、アナバチの犠牲になったのはコオロギではなくバッタであり、アナバチの行動は（デネットらの本に書かれているように）「四十回」ちょうどではなく、「約四十回[18]」繰り返されたと書かれている。さらにモーガンは、ファーブルの実験が昆虫学者のペッカム夫妻によって慎重かつ体系的にテストされ、異なる結果が観察された（何回目かでアナバチがバッタをじかに穴の中に引きずり込む行動が幾度も観察された）ことにも言及している。ペッカム夫妻の追試によれば、アナバチは愚かでも自動機械でもなかったのである[19]。モーガンはペッカム夫妻の実験結果を紹介した後で、アナバチは状況の変化に応じて行動を修正するほど「十分な知性をもつ[20]」と述べている。

アナバチの「愚かさ」についての記述が繰り返し引用されてきたことからは、「人間の高度で複雑な行動は知性や認知、あるいは理性に基づくが、人間以外の生物の単純で反射的・機械的な行動は本能に導かれる」という二分法の根強さが窺える。しかしながら、この二分法にはいくつもの問題がある[21]。第一に、さまざまな生物がさまざまな認知能力をもつことは、現在では数多くの研究によって明らかにされている事実である。第二に、この二分法では人間以外の生物の間にあるさまざまな違いを適切に扱えない。たとえば線虫とタコの行動能力の違いや、サケとフサオマキザルの行動能力の違いはどのように説明されるのだろうか。こうした多種多様な生物の行動をひとくくりに反射や本能、あるいは「配線済み」の反応であると言ってしまうと、さまざまな行動がどのようにして生みだされるのかを適切に説明することができなくなってしまう。第三に、認知能力の進化を考えるうえでもこの二分法は不適切である。認知能力が進化の産物ならば、それは異なる系統で徐々に多様化してきたはずである。人間とそれ以外の生物の間にだけ決定的に重要な区分があると考える理由はどこにもない。

理由や目的を人間以外の生物に帰属させることに対する反感が大きい背景には、目的論が近代以降排除されてきたという事情もある。次章では目的論がなぜ排除されてきたのか、その経緯を確認するところから話を始めよう。

第3章　目的

私たちは普段、自分や他人の行為を説明する際に目的論を採用している。たとえば私たち（本書の共著者三名）が共同研究をするのは、意識の問題を進化の観点から研究するためであり、またそのような研究が面白いと思うからである。あなたがこの本を読んでいるのは本書のテーマに興味があるからかもしれないし、哲学の授業の期末レポートを書くために仕方なくかもしれない。人間の共同研究や読書といった行為を説明する際に、その目的に言及することは何も問題がないように思われるだろう。しかし、誰かが日食のような自然現象は神が人類に警告を与えるために起こしていると言ったらどう思うだろうか。神のような超自然的存在者の目的に訴えるこの種の目的論的説明は、古代や中世においては多くの人々に信じられていたかもしれないが、近代以降は自然法則による説明に次第に置換されていった。その自然法則は主としてニュートン力学の法則であり、生命現象の場合はダーウィンとウォレスの自然選択説がこれに当たる(1)。

ラマルクの目的論

こんにちでは生命現象の目的論的な説明は非科学的であるとして、しばしば批判や嘲笑の的になっている。特に標的にされてきたのは、一九世紀前半に活躍した生物学者ラマルクの目的論（ただし、後代の論者によって多分に戯画化されたバージョン）である。これをキリンの首の進化を例に解説しよう。

キリンの祖先の首は今のキリンのように長くはなかった。その祖先が普段食べていた樹木の葉が少なくなったとき、より高い樹木にある豊富な葉を食べるために、祖先は頻繁に首を伸ばすようになった。この行動が習慣化することで祖先の首は少し長くなった。頻繁に使用する器官や組織の発達が促され、反対に使用しない器官や組織の発達が阻まれることを「用不用の法則」という。さらに、用不用の法則によって生物個体が生涯の間に獲得した形質は子孫に遺伝する。これが「獲得形質の遺伝の法則」である。獲得形質が遺伝するのであれば、次世代のキリンの首の長さの平均値は少し大きくなるはずである。このプロセスが繰り返されることで、キリンの首は徐々に長く進化していった。そうすると、キリンの首の進化は「高いところにある樹木の葉を食べるため」という目的に基づいているように思えてくる。同様に、水中に棲むイルカや空を飛ぶ鳥類も、目的のための行動の変化と用不用の法則および獲得形質の遺伝の法則の組み合わせで説明できそうだ。

生物の進化に関するこうした説明様式はしばしばラマルクの名前と結びつけられるが、ラマルクがこれを最初に思いついたわけではないし、彼だけがこれを採用したわけでもなかった。さらに言えば、この説明様式はラマルクの進化論の中核にあったわけでもない。彼は基本的に、単純な形態の生物から複雑な形態の生物へと発展するという進化の道筋がおおむね決まっていると考えていた。「おおむね」というのは、生物が環境に適応した結果として進化の道筋に枝分かれが生じたがゆえに、多様な生物がいま存在するともラマルクは考えたからである。環境への適応を説明する法則として挙げられたのが用不用の法則や獲得形質の遺伝の法則であったが、これらはラマルクにとってはあくまでも付随的な役割を果たす二次的な法則に過ぎなかった(2)。

しかしながら用不用の法則と獲得形質の遺伝の法則を強調する立場がその後「ラマルキズム」と呼ばれて一時期勢力を伸ばし、ダーウィニズムと対立したことなどもあってか、こんにちでは目的論と聞くとラマルクの名前を思い浮かべ、同時に否定的な印象をもつ人が多数派を占めるだろう。ただし近年はエピジェネティクスの発展を背景に、ラマルキズムの復権を図る動きもみられる(3)。

アリストテレスの四原因説

ここで少しばかり専門用語を導入しておこう。アリストテレスは自然の事物が四種類の原因によって説明されると考えた(4)。四種類の原因はそれぞれ目的因、質料因、作用因、形相因と呼ばれる。これら四種類の原因を家の建築を例に説明してみよう。まず、家が建てられるのは、家を建てる人が（たとえば）家族と暮らすためである。「家族と暮らす」という目的が原因となって家が建てられるというとき、「家族と暮らすこと」は家の「目的因」であるといわれる。もちろん目的因だけで家は建たない。家を造るのには材料となる木材や石材が必要だし、それらに手を加えて家を形作る大工の働きがなければならない。それゆえ、家の材料は「質料因」、大工の働きは「作用因」と呼ばれる。さらに、家が家であるからには壁や屋根を備えるなどの一定のデザインが必要である。この種のデザインも原因の一種とされ、「形相因」と呼ばれる。

　現代において四原因説は常識的な考え方ではない。自然の事物の原因として作用因や質料因は認められても、形相因や目的因を「原因」と呼ぶのは理解に苦しむという人がほとんどだろう。それもそのはずで、時代を経る中で原因についての考え方が変化してきたため、古代ギリシアのそれが腑に落ちないのは何も不思議なことではない。近代以降は形相因と目的因がだんだんと排除されていき、自然の事物をもっぱら構成要素の質料因から説明する還元的説明が有力になり、事物の変化を作用因によって説明することが「因果的説明」と呼ばれるようになった。それと並行して、事物の変化に対して目的因を引き合いに出して説明する目的論的説明は次第に排除されていった。(5)

ウォレスのラマルク批判

次に、自然選択説の主張が簡潔にまとめられたウォレスの論文「変種がもとの型から限りになく遠ざかる傾向について」(一八五八年)に即して、目的論的説明がどのように排除されたのかを確認しよう。

タカ族やネコ族の出し入れ自在で強力な爪は、これらの動物の意思によって生じたり発達したりしたのではない。そうではなく、これらの動物群の初期の体のつくりがあまり高度でない種類に出現した様々な変種のなかで、獲物を捕まえる能力が最大のものが、かならず最も長く生き残ったのである。またキリンが長い首を獲得したのは、より背の高い灌木の葉に届きたいと熱望し、そのためにいつでも首を伸ばしていたためではなく、その祖型のなかに出現したふつうより長い首をもつなんらかの変種が、首の短い仲間たちと同じ地面の上のより高いところに新しい牧草地をただちに確保し、そして最初に食物が欠乏したときに、そのおかげで他の仲間たちより長生きすることができたからなのである。(新妻 二〇〇一、四三九—四四一頁より。傍点強調は原文イタリック)

ここでウォレスはラマルクの目的論的説明を否定し、自然選択という作用因のみに訴える因果的説明を展開している。しかし、目的論的説明のいったい何が問題だというのだろうか。

まず、目的を原因とすること自体が問題であると考えられる。この点についてはウォレスよりもずっと前に、一七世紀に活躍した哲学者のスピノザが『エチカ』の中で、「目的に関するこうした説は自然をまったくあべこべに転倒させる〔…〕この説はまず、本当は原因であるものを結果と見、結果であるものを原因と見る[6]」と述べて批判している。この批判をキリンの例に即して現代風に言い換えてみよう。高いところにある樹木の葉を食べることは、首が突然変異によって伸びたことの結果であって、「高いところにある樹木の葉を食べる」という未来の目的が原因となって現在のキリンの首が長くなることはない。スピノザが問題視するのは、目的論が対象を未来の状態によって説明するところである。原因はあくまで結果よりも時間的に先行していなければならないが、目的論はこれを「まったくあべこべに転倒させる」のである（当たり前のことを言っているように聞こえるかもしれないが、それはあなたが因果関係に関する近代的な考え方が広まった現代に生きているからである）。

スピノザの批判はきわめて強力であり、目的論を擁護しようとすればこの批判をなんらかの仕方で回避しなければならない。一つの方法は、対象を説明するのは未来の目的ではなく、目的について現在抱かれている心的な表象であると考えるやり方である[7]。つまり目的論的説明を「意図」や「意思」、あるいは「欲求」といった概念に訴える「心理学」的な説明として捉えなおすのである。この改訂版の目的論ではキリンの例は次のように説明できる。「高いところにある樹木の葉を食べよう」というキリンの現在の意思、あるいは「高いところにある樹木の葉を食べたい」というキリンの現在の欲求が原因となって首を伸ばすという行動が引き起こされ、やがて首が少しだけ伸びるという結果が生みだされる。

ウォレスの論文には「動物の意思」や「熱望」という言葉が登場する。彼はラマルクが意思や欲求のような心理的要因に訴えて生物の進化を説明していると考え、これを批判したのである[8]。しかし、このような説明の何がまずいというのだろうか。

第一に、心的表象は観察不可能な内的要因である。ウォレスはそのような内的要因を仮定せずに、首が長いと高いところにある樹木の葉を食べられる（反対に短いと食べられない）という観察可能な外的要因のみに訴えて進化を説明すべきであると考えた。

第二に、人間の行為を説明する際に用いられる「意思」や「欲求」といった概念を他の生物に当てはめることは擬人主義的である。擬人主義は、人間にみられる高等な心的能力を仮定しなくても説明できる他の生物の行動を、高等な心的能力によって説明するので非節約的であり、論点先取であると批判される。擬人主義の是非については検討の余地があるが、本書ではこれ以上立ち入らない。というのも本書の焦点は高等な心的能力ではなく、あくまでも基本的な感覚や知覚の能力と結びついた意識にあるからであり、また目的とその心的表象は切り離して論じられるからである。

機械論

近代以降は科学から目的論が排除されていったが、その代わりに支配的になったのが機械論である。先ほど引用したウォレスの論文には、この移行を象徴するかのように、自然選択の作用を蒸気機関の遠心調速機になぞらえた記述がある。そうすることでウォレスは、自然選択説が物理学と同じように作用因だけに訴えた因果的・機械論的説明に携わるものだということを強調しているのである。(9)

目的論と対比される機械論とは何だろうか。哲学者のブロードは、近代科学革命以降に自然科学を支配するようになった説明様式を「純粋な機械論」と呼んだ。純粋な機械論によれば世界には一種類のものしかなく、それには一種類の変化（すなわち運動）しかない。運動の変化はあらゆる機械論的相互作用を支配する一組の基本法則によって支配される。さらに「単純な合成の原理」があり、どのような粒子の集合の振る舞いも、あるいはどのような粒子の集合の他の粒子の集合への影響も、一組の構成粒子の相互の影響から一様な仕方で起こるので、ある系におけるある自然現象を説明するためには、その系の部分間に成立する機械論的な因果関係に言及しさえすればそれで十分である。(10)

機械論と目的論（後述するアリストテレスの目的論）の主張は対照的である。後者によれば、ある系におけるある自然現象を説明するためには、その系の部分には還元できない系全体の目的に

言及する必要がある。つまり機械論は還元主義、目的論は全体論を支持する。(11)

機械論と目的論の緊張関係

目的論が排除されたということは、物理学においては文字通り真であるが、生物学においてはやや事情が異なる。確かにダーウィンとウォレスの自然選択説によって生物学からも目的論が排除されたとしばしば総括されるが、その一方で目的論は激しい批判にもかかわらず現代に至るまで細々とその命脈を保ってきたかのようにもみえるのである。

歴史を少し遡ってこの点を確認してみよう。(12) 一八世紀の博物学者ビュフォンは、生物は「自己組織化」、「自己増殖」、「自己栄養」という三つの能力によって無生物から区別されると考えた。こうした能力は生物を構成する部分に還元しては説明できず、生物全体の組織化や増殖という目的に言及する必要がある。ただし、これは生物に機械論的説明が当てはまらないという主張ではない。生物は無生物とは異なり、機械論と目的論の両方の説明様式が必要であるという主張である。

しかしながら機械論と目的論は相容れないようにみえる。ビュフォンの影響を強く受けたカントの『判断力批判』には、生物学における機械論と目的論の緊張関係が如実に表れている。近代の哲学者であるカントにとって生物は機械論的原因の結果であると判断されなければならないが、その一方で生物は機械論的原因の結果に過ぎないと判断することもできない。

　生物が機械論的原因の結果であると判断されなければならないのは、生物は自然の存在物であり、自然の存在物は機械論的に説明されるべきものだからである。しかしながら生物は自己組織化と自己栄養の能力をもち、自身を構成する部分を自ら作りだし、自身の目的のためのさまざまな性質を備えている。生物は機能的に統合された存在物であり、各部分の性質は生物全体の機能によって説明されるが、一方で生物全体の機能は各部分によって実現され、説明されもする。それゆえ生物はそれを構成するさまざまな部分の原因であり、同時にそれらの結果でもある。ところが機械論は生物をその部分の結果としてしか説明しない。生物自身がその部分をどのように構築・改変・制御しているかを説明する際には目的論が求められるように思われる。しかし近代以降は機械論的・因果的説明が唯一認められる説明様式なので、目的論を受け入れる余地はない。

目的論のジレンマ

　こうしたジレンマに直面したのはカントだけではなかった。二〇世紀前半の著名な生物学者J・B・S・ホールデンは「目的論は生物学の情婦のようなものだ。彼は彼女なしでは生きられないのに、彼女とともに公衆の面前に現れようとはしない」と述べたという逸話がある[13]。また、マイアは「目的論的言語の使用に対し数多くの重大にみえる反対がさまざまな批判者たちから提起されてきたにもかかわらず、生物学者たちはこの言語の使用を止められるなら方法論的および発見法的に、大きな損失をこうむるであろうと主張しているという事実のなかに、目的論のジレンマがある」[14]と述べている。

目的論が科学において否定されるべき説明様式であるにもかかわらず、生物学から目的論を排除できないのであれば、生物学は疑似科学か、せいぜい二流の科学ということになってしまうだろう。この事態を避けるために、多くの生物学者や科学哲学者が生物学から目的論を排除しようと努めてきた。とりわけラマルクを徹底的に批判することで、生物学が目的論に「汚染」されていないことを証明しようとやっきになってきたかのようにもみえる。だが、この種の「浄化」は無理筋だったように思われてならない。ホールデンが正直に認めているように、生物学はやはり目的論なしではやっていけないからである。

目的論のジレンマから脱却するためには別の道を歩むしかない。それは目的論が科学において否定されるべき説明様式ではないと公に認めることである。

プラトンの目的論

一口に「目的論」と言っても、少なくとも二種類の目的論があることをここで確認しておこう[15]。一つ目がプラトンの目的論である。プラトンは『ティマイオス』において、世界の秩序はデーミウールゴスという制作神の働きを必要とし、その働きがなければ混沌しか生まれないと述べている。つまり自然には秩序が押し付けられなければならないのであり、その秩序はデーミウールゴスの目的やデザイン（形相）を反映しているのである。これは人工物の機能が制作した人間の目的やデザインを反映しているというのと同じである。ここで注意したいのは、プラトンの目的論では目的が説明対象の外部にあり、超越的な存在者の意図や意思が関わるという点である。この意味でプラトンの目的論は「外在的」かつ「超越的」であるということができる。

生物学者でもあった弟子のアリストテレスとは対照的に、プラトンは生物についてあまり多くのことを述べていない。数少ない例外の一つとして、私たちの腸がとぐろを巻いていることに対するプラトンの説明が挙げられる。

> われわれの種族を構成した神々は、われわれの内部に、飲物や食物に対する不節制が起こるだろうということを、ちゃんと知っていましたし、また、われわれが、飽くことを知らない貪欲な食いしん坊であるところから、必要とされる適量よりも、はるかに上まわる分量を消費するだろうということも知っていたのです。だから、病気のために急速に衰えて、死すべき定めの種族が、完成に達しないままで、たちまち死ぬということにはならないように、このことに備えて、余分になるはずの飲食物を収容する容器として、「体腔下部（腹部）」と言

われているものを作り、「腸」をぐるぐると巻きました。それは、食物が、素早く通過してしまって、あっという間にまた次の食物を要求するように身体に強いることになり、そして果てしのない貪欲を起こさせて、われわれの種族全体をして、食気のために、およそわれわれのうちにある最も神的なものの言うことにはとんと耳を貸さないという、非哲学的で（知を愛し求めることを知らない）、無教養なものにしてしまうことにはならないように、というためだったのです。（プラトン 一九七五、一三四—一三五頁。旧字体は新字体に改めた）

プラトンによれば、私たちの腸がとぐろを巻いているのは（驚くなかれ）哲学をするためであり、またそうするように神が取り計らったからなのである。

アリストテレスの目的論

アリストテレスの目的論はプラトンの目的論と対照的な特徴をもつ。アリストテレスはプラトンのように超越的（超自然的）な存在者を措定せず、目的は自然物がその内部に元から備えているものと考える。それゆえアリストテレスの目的論は「自然的」かつ「内在的」であるということができる。

目的論は彼の生物学研究の中で重要な役割を果たしており、個々の生物に内在的な目的因がその種の生物に顕著な特徴を説明すると考えられていた。生物の目的因は現代風に言い換えれば生物の目的指向的な性向であり、これによって生物のさまざまな部分が組織化されて特定の機能が特定の仕方で実現されると論じられた[16]。

アリストテレスの生物学の基本的な発想は、生物は精巧に組織化された機能的統一体であり、それを作り上げている部分や活動はひとまとまりになってその生物の生き方に貢献する、というものである[17]。アリストテレスの著作においては生物についての具体的な説明に事欠かないが、ここでは先に引用したプラトンの説明と対比するために『動物部分論』における腸の説明を例に挙げよう。

［…］曲がりくねった腸をほどいてみると単純で一様な腸である動物もいれば、一様ではない腸の動物もいる。［…］まっすぐではない腸をもつすべての動物において、この部分は、先へ行くほど広くなる。そして、「結腸」と呼ばれる部分や、腸にある行き止まりで嵩高い部分をもつ。次に、ここからまた、狭くなり、曲がりくねる。しかし、この後の部分は、排泄物の出口へ、まっすぐ伸びている。そして「肛門」と呼ばれるその部分に脂のある動物もいるが、脂のない動物もいる。しかるに、それらすべてが、栄養物および発生した剰余物に関わる適切なはたらきのために、自然によって工夫されたのである。すなわち、剰余物が先

へ行き下へ進むと広い場所が現れ、そして、よくエサを与えられた動物の場合や、体の大きさか場所の熱さのゆえに多くの栄養物を必要とする動物の場合、その多くの剰余物は、変化するためにそこにとどまる。次にまた、ちょうど上の腔所から比較的狭い腸が栄養物を受け取るように、そこから、すなわち、結腸から、そして下の腔所における広い場所からまた、比較的狭い場所に至り、剰余物が完全に湿り気を取られると、曲がりくねった場所に至るが、それは、その動物の自然本性が剰余物を溜めておけるように［…］そうなっているのである。

（アリストテレス 二〇〇五、二六〇―二六一頁）

アリストテレスはさまざまな動物の消化管の異なる機能や構造を、いわば比較生理学・比較生態学的観点から考察し、それぞれの動物種の生存繁殖上の目的に照らして説明している。プラトンとの違いは一目瞭然であろう[18]。

アリストテレスの目的論は従来の批判を免れる

アリストテレスの目的論はプラトンのそれとは異なり、目的論に対して従来向けられてきた批判を免れる。まず、目的論が「自然をまったくあべこべに転倒させる」というスピノザの批判に対しては、生物に特定の特徴がみられることを説明するのは未来の目的ではなく、その生物自身に現在みられる目的指向性であると反論できる。またその目的指向性は生物自身の振る舞いに現れる経験的に観察可能な性質であり、超自然的な要素を含まない。

次に、目的論は生物に意思や欲求を帰属させるという批判に対しても、アリストテレスの目的論において重要な役割を果たすのは意思や欲求ではなく、まさにこの目的指向性であると応答することができる。動物が意思や欲求を備えた理性的な行為者であると主張することは不可能ではないかもしれないが、擬人主義の擁護など幾分骨の折れる作業が必要になるだろう。[19] しかし、動物が目的指向的に振る舞うと述べるだけならば、それほど異論はないはずである。アリストテレスも、「運動変化を引き起こすものが考慮を働かせた上でそうしているようには見えない場合には、何かの目的を目指してものごとが生ずるとは思えないとするのも馬鹿げたことである[20]」と述べている。動物に目的を帰属させることと、高度な認知能力を帰属させることとは、別問題なのである。

目的指向性

目的論には少なくともプラトンとアリストテレスに帰される二種類の目的論があり、しかも両者は対照的な特徴をもっている。そしてアリストテレスに帰される内在的かつ自然的な目的論が従来の批判を免れるとすれば、目的論の評価において鍵を握るのは目的指向性概念になるだろう。

目的指向性に関しては二〇世紀前半から今世紀に至るまでに、これを中核概念とするいくつかのアプローチや理論が登場している。たとえばサイバネティックスや一般システム理論、自己組織化理論などである。[21] こうした現代の科学研究において目的指向性は生物に限定されず、広く適応的なシステム全般に備わるものと想定されている。そして目的指向性は適応的なシステムの構成から生じる因果的な帰結であり、なおかつシステムが全体として部分の因果的な能力を安定的かつ恒常的な終点（目的）に向けて働かせる能力を指すものと捉えられる。もはや目的指向性は科学の埒外ではなく、むしろ適応的なシステムを研究する際には必要不可欠な概念だと考えられている。[22] たとえばフォン・ベルタランフィは『一般システム理論』の中で次のように述べる。

［…］強調したいのは、特徴的な最終状態や目標に向かう目的論的な行動が自然科学の立入禁止区域ではないこと、また、それ自体としては方向性をもたず偶然であるような過程をまちがって擬人的にとらえているものでもないことである。逆にむしろそれは科学的な言葉で十分定義できるし、その必要条件や可能な機構も示すことのできる行動の一形式なのだ。
（フォン・ベルタランフィ 一九七三、四三頁）

目的論の自然化と目的律

このような仕方で目的論を科学的な説明様式の一種として扱うことは、一般に「目的論の自然化」と呼ばれるものとは異なるということに注意を促したい（目的指向的なシステムを扱う科学は、むしろ後述の「自律的な目的論」に携わっているというべきである）。目的論の自然化とは、生物学の哲学分野において目的論を「機能」に結びつけて論じる際に広く受け入れられてきた考え方である。すなわち、目的論的言明は実のところ生物がもつ個々の形質の機能に関する言明であると捉えなおし、さらにその機能を生物の適応度（生存繁殖における成功度）への貢献という観点から還元的に説明するのである。これがうまくいけば目的論は機械論的な自然選択説に還元され、自然科学の枠内に容易に位置づけられることになる(23)。

還元主義的な仕方で自然化された目的論は「目的律（テレオノミー）」と呼ばれることがある。この用語を最初に導入したのはピッテンドレーとされるが、マイアやモノーもこの言葉を用いていた(24)。ファインバーグとマラットは「目的律と適応」というように「適応」とセットでこの語を用いている。目的律的な過程は自然選択に還元され、自然選択が累積的に作用した結果として進化するのが適応だからである(25)。

目的律という語が好まれるのは、「目的論」が怪しげな形而上学と結びついた非科学的な説明様式との印象を抱かせてしまうからであろう(26)。しかし本書では「目的律」をあえて用いない。というのも、アリストテレスの目的論は従来誤解されてきた面が多く、現代生物学の観点から再評価すべき点があるということに加えて、意識科学においても重要な役割を果たしうると考えるからである。

目的律、すなわち還元主義的な仕方で自然化された目的論は、機械論的な自然選択説から独立した自律的な説明様式として認められるわけではない。それにはせいぜい発見法的な有用性が認められるくらいである。これに対して本書は、アリストテレスの内在的かつ自然的な目的論は機械論に還元されず、なおかつ意識科学において必要不可欠な役割を果たしうると主張する。

目的論の自律性

目的論には有益な発見法としての役割があると認めることにすら反感がある中で、目的論を自律的な説明様式として評価することはいっそう物議を醸すように思われる。目的論を自律的な説明様式として認めると、生命現象を機械論的に説明し尽くすことはできないことになる。だが、それは目的指向性に機械論的な原因がないということを意味しない。目的指向性にも機械論的な原因はあるが、目的指向性が説明するのは、その機械論的な原因によっては説明し尽くせない生命現象の側面なのであり、だからこそ機械論に加えて目的論が求められるのである。

生命現象の説明は、その生命現象を成り立たせている一連の機械論的な過程あるいは「メカニズム」が特定されれば完了するので、機械論的な原因によって説明し尽くせない側面など生命現象にはない、という考え方もあるかもしれない。これは近代以降の科学において支配的な機械論・唯物論的な発想であり、作用因と質料因しか原因として認めない考え方である。

しかしながら、生命現象の中には生物の目的指向性に言及して初めて十分に説明される側面がある。そうした側面が果たして自然界にどのくらい存在するのかは、目的論の現代的評価に関わる興味深い経験的問題である。(27)

表現型可塑性

この議論の文脈でしばしば言及されるのが「表現型可塑性」である。とりわけ発生的可塑性とそれが進化に及ぼす影響については、生物学者のウェスト＝エバーハードによる一連の研究がよく知られている。彼女は表現型可塑性を「環境入力に対して、形態や状態、運動や活動率を変化させながら反応する生物の能力」(28)と定義する。これはまさに生物の目的指向性であると考えられるし、(アリストテレス的な意味での)目的論が役割を果たしている生物学研究の一つであるということができるだろう。

発生的可塑性の例を一つ挙げる。ミジンコ(*Daphnia lumholtzi*)は、遺伝的に同一なクローン個体であっても、発生過程において捕食性の魚の発する化学物質に曝された個体は、通常とは異なる形態に発生する。そうした個体の鋭く尖ったヘルメットのような頭部と長く伸びたトゲ状の尻尾は、捕食者から身を守るうえで役立つだろう[29]。これはほんの一例であり、表現型可塑性のおかげでさまざまな生物が多様な「表現型レパートリー[30]」をもつことが知られている。

ところで、表現型は形態に限定される概念ではない。行動も表現型であり、可塑性がみられる場合がある。ミジンコの例は発生の可塑性だが、同様のことが行動の可塑性についてもいえるだろう。「行動の可塑性」という考えはウェスト＝エバーハードによる表現型可塑性の定義から逸脱するものではない。そして行為者性、すなわち行為者が自身の環境の中で受け取った刺激に対して能動的かつ柔軟に特定の行為を選び取って反応する能力は、行動の可塑性と読み替えられる[31]。意識を行為者性に結びつける見解は、可塑性という概念を介しても目的論に接続されるのである。

第4章　意識と目的の進化

現代生物学の観点から（意識を含む）生命現象全般の説明において自律的な目的論が重要な役割を果たしうると主張する立場は、「アリストテレス的な科学的自然主義」とでも呼ぶことができるかもしれない[1]。しかし、それは近代以降の科学を全面的に否定するわけではなく、むしろ近代科学の成立過程で不当にも排除されてしまった要素を取り戻すという仕方で現代科学に修正を迫るものであり、「修正的な科学的自然主義」という呼称の方が適切に思われる。

第1章で紹介したサールの生物学的自然主義は、意識の問題の解明に必要な道具立ては現代生物学の枠組みの中にすでに揃っていると想定していたため、現代科学に修正を迫るものではなかった。その意味で彼の立場は「保守的な科学的自然主義」と呼べるだろう。ファインバーグとマラットの神経生物学的自然主義も、神経生物学や神経の進化に関する知見の重要性を強調するという違いはあるものの、現代生物学の基本的な枠組みはそのまま保持しようとするため、同じように保守的な科学的自然主義に分類できる。

これに対して本書が拠って立つのは修正的な科学的自然主義の立場である。すなわち、少なくとも意識の問題を解明するためには、現代生物学の基本的な枠組みに一定の修正が必要であると考えている。具体的には行為者性（主体性）概念と自律的な目的論の取り込みが必要であるという主張なのだが、これは見かけに反してそれほどラディカルな主張ではない。というのもそれは「進化の総合説の拡張」という、しばしば提起される現代の進化生物学に対する修正要求と軌を一にするからである。(2)

「進化の総合説」の拡張

繰り返しになるが、自律的な説明様式としての目的論を擁護するからといって、現代生物学の主要理論を否定するわけではない。現代進化生物学の基本的な立場は「進化の総合説」や「現代的総合」と呼ばれている。(3)簡潔に言えば、これはダーウィンの自然選択説とメンデル遺伝学を統合した集団遺伝学の理論を中核に、生物学のさまざまな分野を取り込んでまとめあげたものである。そしてその延長線上に、いまだに総合されていない分野を引き続き取り込んでいく動きを「総合説の拡張」と呼び、これを推進していこうとする一群の研究者たちがいる。(4)意識科学に進化の視点を取り入れるアプローチは、総合説の中に意識科学を取り込もうとする試みであるともいえる。したがって本書は現代生物学の基本的な枠組みからの逸脱を志向しているわけではなく、ただその枠組みを意識の問題の取り扱いが可能なように拡張して修正する必要があると主張しているのである。

似たような主張が、発生生物学の総合説への取り込み、いわゆる「エボデボ」(進化発生生物学)に関してなされているので、これは決して突飛な主張ではない。ただしエボデボに関しては、それは単なる総合説の拡張ではなく現代進化生物学における「革命」であるという見解もある。[5]だが本書は決して「革命」を志向しているわけではない。アリストテレスの目的論を再評価する姿勢は、現代進化生物学に革命を起こすというよりもむしろ総合説に修正を迫るものと評価すべきである。[6]

双方向的な修正

以上の話を目的論の側からみてみよう。現代生物学の中で重要な役割を果たすことが期待される目的論は、アリストテレスのそれのまま無傷でいられるだろうか。それは到底無理な相談である。生物の目的指向性や主体性が進化において果たす役割を進化の総合説は確かに見落としてしまったかもしれないが、他方であらゆる生物が共通祖先から進化してきたという事実や、進化の説明において生物の多様性(個体差)が鍵を握るという考えは、ダーウィンによる新たな発見である。目的論を総合説に取り込む際にはそうした事実や考えと整合するように修正を施す必要がある。つまり、修正的な科学的自然主義の「修正」は一方的なものではない。目的論を取り込めるように総合説を修正すると同時に、総合説の中核的な要素と整合するように目的論に修正を加えるという、双方向的な修正が求められるのである。

具体的にどのような修正を加える必要があるだろうか。まず、アリストテレスにとって目的因（目的指向性）は生物個体に内在するものであり、それが生命現象を説明する鍵を握っていたが、総合説においては集団レベルで観察される生物個体の能力や性質の差異が重要な役割を果たすと考えられる。個体差があるからこそ自然選択などの要因が働いて進化が起こり、その進化的変化が蓄積することで、適応や、ひいては多様な生物種が生みだされる。それゆえ目的論が総合説に取り込まれる際には、生物個体に内在する目的因（目的指向性）それ自体に加えて、生物集団における目的因（目的指向性）の差異が説明力を有するというように考えを改めなければならない。さらには、目的因（目的指向性）それ自体も進化的に変化するものと捉えなおす必要があるだろう。

目的指向性の進化

デネットは目的指向性にはいくつかの段階があると考え、その考えを進化論的に表現した。彼の「生成評価の塔」はアリストテレスの霊魂論を進化論的にアレンジしたものであるが、その段階的な発想はダーウィン進化論の神髄ともいえる系統樹思考にはあまりなじまない。デネットはそれを承知のうえで、「生成評価の塔」を心の進化について考察するための理想化と割り切っており、それをわきまえていれば確かに有用なモデルといえるだろう。それゆえ以下ではこれを活用していく。

ギンズバーグとヤブロンカも「生成評価の塔」を意識の進化の考察に利用している。しかし彼女たちとデネットの間には、目的論に関して重要な見解の相違がある。ギンズバーグとヤブロンカによれば、「デネットは『生きものや感覚的生物に目的があるかのように語るのはわかりやすさのため』だと考えているのに対して、われわれは『選択に基づくシステムはもとより目的論的』だと考えている」(ギンズバーグ&ヤブロンカ 二〇二一、四六頁)。この点に関して、本書は自律的な目的論を擁護する立場から、彼女たちの側に立つ(7)。

ところで、進化生物学にもメイナード＝スミスとサトマーリの「進化における主要な移行」やドーキンスの「進化可能性の進化」といった、「生成評価の塔」と似たような発想がある(8)。これらの発想に共通するのは次の考え方である。進化の歴史においては従来の進化の様相を一変させる新たな要素が進化することがある。そのような要素が進化した系統では、それを新たな基盤として、他の系統にはみられない新奇な形質が進化しうる。わかりやすいのは多細胞体制だろう。多細胞体制それ自体も進化の産物であるが、いったん多細胞体制が進化すると、生物体を構成する多数の細胞がさまざまに組織化されて、従来はみられなかった複雑な構造が進化する可能性が生まれる。進化が新しいステージに進むといってもよい。ただし、これは「強い創発」を含意するわけではなく、新たな要素の進化はあくまでもダーウィン進化論の枠組みの中で説明される。

「生成評価の塔」

デネットの「生成評価の塔」は四層の階層からなる。下から順番にみていこう。最下層にいる「ダーウィン型生物」は、個体ごとに異なる表現型をもち、環境中で自然選択にさらされる生物である。その中で環境に適合した表現型をもつ個体が生き残り、それと同じ遺伝子型をもつ生物が増殖していく。

ダーウィン型生物が進化すると、子孫の中にはやがて表現型可塑性を備えた生物が登場する。この生物はダーウィン型生物のように表現型が生まれつき決まっているのではなく、環境と応答する中で表現型を変化させる能力をもっている。さらにその中には行動の可塑性をもち、環境中で有利な行動を「オペラント条件づけ」によって学習できる生物も現れるだろう。「オペラント条件づけ」は行動主義心理学の専門用語であり、行動と特定の結果の連合を学習する際に行われるタイプの学習を指す。この学習能力をもつ生物には、行動主義者のスキナーに因んで「スキナー型生物」という名前がつけられている。スキナー型生物は「生成評価の塔」の二階部分に位置する。

スキナー型生物はダーウィン型生物よりも生き残る確率が高そうだが、学習の初期過程で誤った行動を選択して命を落とす可能性もある。もっと良い方法はないだろうか。特定の行動を選択する前に、さまざまな行動がどのような帰結をもたらすかを予想し、その中で最も良い帰結をもたらす行動を「事前選択」することができれば、生き残る確率をさらに高められそうである。そのためには外部環境とその規則性に関する情報を備えた「内部環境」を脳内に作りだし、その中で行動のテストをすればよい。このように高度な認知能力を備えた生物は、科学者による仮説の選択（反駁）を生物の自然選択（淘汰）になぞらえた科学哲学者のポパーに因んで「ポパー型生物」と呼ばれる。これが「生成評価の塔」の三階に来る。

ポパー型生物はスキナー型生物よりも優れているが、その事前選択が誤りである可能性もあるし、行動の前にいちいち自身の「内部環境」でテストをしなければならないのもコストがかかる。もっと安全で効率的な方法はないだろうか。それは他個体とコミュニケーションを取って有益な情報を入手するというやり方である。自分が現在置かれている環境とよく似た状況下で他個体が過去に特定の行動を取って成功したという情報が得られれば、同様の行動を選択するに越したことはない。もちろんそれに改良を加えてより大きな成功を狙うこともできるだろう。この生物は一見ポパー型生物よりも知的でないようにみえるかもしれないが、他個体から有益な情報を効率的に入手するために、他個体の心を読む能力（「心の理論」と呼ばれる能力）や言語能力などの高度な認知能力を備えている。さらにそうした認知能力が加わることで、「内部環境」における生成評価はより洗練されている。この段階の生物は心理学者のグレゴリーに因んで「グレゴリー型生物」と呼ばれる（彼は言語を「心の道具」と呼び、それが知性の洗練において果たす役割を強調した[9]。このグレゴリー型生物が「生成評価の塔」の最上階に位置づけられるのである。

意識はどの段階で進化したか

現実世界のどの生物がどの段階に位置づけられるのかは興味深い経験的な問題である。本書にとって重要なのは、「意識をもつためにはどの段階（以上）の生物でなければならないか」ということである。この問題に対してギンズバーグとヤブロンカは「スキナー型生物（以上）の段階である」と答えている。というのも、彼女たちにとって意識は領域一般的なオープン・エンドの連合学習（彼女たちはこれを「無制約連合学習」と呼ぶ）の一側面であり、スキナー型生物にはそうした学習の能力が備わっているようにみえるからである[10]。スキナーが行動主義者であり、意識の存在を否定していたことを思い起こせば、この答えは皮肉なものといえるだろう。

ギンズバーグとヤブロンカの強調する無制約連合学習はスキナー型（以上の段階）の生物がもつものであり、環境の変化に応じた柔軟な行動を可能にする。彼女たちによれば、その柔軟さはダーウィン型生物の「制約下の学習」をはるかに凌ぐ（デネットはダーウィン型生物に学習能力を帰属させないが、ギンズバーグらは限定的な学習能力であれば単純な生物にもみられると指摘している）。環境の変化に応じた柔軟な行動は、カンブリア爆発以降に巻き起こった「食うか、食われるか」の熾烈な生存競争を生き抜くために一部の動物が身につけた能力である。そこではまず、他の動物を捕食するという目的指向的な行動を可能にする視覚意識が捕食者において進化し、次に捕食者から逃れるという目的指向的な行動を可能にする視覚意識が他の動物において進化したと考えられる(11)。

意識と行為者性の進化

柔軟な行動の進化はさらに柔軟な行動の進化を促す。柔軟な行動のおかげで動物たちの遭遇する物理的環境は変化に富んだものになり、中にはその動物が初めて直面する新奇な環境もあっただろう。そうした環境においては行動の可塑性の点で優れた個体が生き残りやすいと考えられる。より重要なのは生物的環境の変化である。新奇な環境に進出した動物はそれまで遭遇することのなかった生物種に対処しなければならないだけではない。柔軟な行動を取る動物が同じように柔軟な行動を取る動物と対峙すれば、互いの行動の変化を感知することがさらに互いの行動の変化を引き起こし、行動の柔軟性はらせん階段を上るように進化の過程でどんどん高められていったことだろう。

そのような「進化的軍拡競争」の中で、感覚入力に対して単に受動的に反応する生物が生き残る見込みは低い。状況を見極めて自ら積極的に行動を起こす能動性が必要不可欠なのだ。行動の可塑性はもとより能動的であるが、単に状況に合わせた行動を取るだけではなく、自らの行動とそれが引き起こす特定の結果との連合を学習できるかどうかが生き残りを左右しただろう。こうして進化したスキナー型生物が能動的かつ柔軟に振る舞うためには、感覚入力を単なる情報として受け取るだけでは不十分である。その生物自身がもつ理由や目的に照らして特定の行動を選択するためには、一人称的な視点から情報を享受する必要がある。さらにそれはその生物自身にとって特定の行動の結果がどのような価値をもつのかという評価と切り離せない。こうした評価と結びついた一人称的な視点からの情報享受こそが「意識的な経験」と呼ばれるものではないだろうか。意識が「主観的」、「個人的」、「私秘的」などと特徴づけられるのは、意識が個々の生物の主体性と結びついているからであり、また生物の能力や性質、あるいは置かれた環境などが個体ごとに異なるからである（繰り返しになるが、こうした個体差の重要性を認めることが目的論に求められる修正事項の一つである）。

理由と理解の進化

ダーウィン型生物の行動にもある種の理由や目的があるが、それはその生物自身が能動的に振る舞うことで獲得したものではなく「自然が与えた」ものであり、その生物が生まれたときにはすでに（大部分が）「配線済み」のものである。

一方、スキナー型生物の無制約連合学習に基づく行動は環境の変化に応じてその生物自身が能動的に選択したものであり、その背景にはその生物自身の行動の理由や目的が控えている。ただし、スキナー型生物であるためには、こうした行動の理由や目的を理解できる必要はない（理由と理解の違いについては第3章参照）。自らの行動の理由や目的を理解しているといえるのは、ポパー型生物またはグレゴリー型生物である。

ポパー型生物は自らの行動の目的や理由を理解できるが、その理解には限界がある。ポパー型生物はどのような行動を取ればどのような結果が伴うかを過去の経験に照らして想像し、最善の行動を選択できるが、自分がその行動を選択した「真の理由」を理解することはない。フサオマキザルという社会的知性のよく発達したサルは、捕食者の存在を知らせる警戒声を発することで同種個体の気を逸らして食料を奪い取る「戦術的な欺き」をするらしい[12]。だが、自らがそうした行動を取る「真の理由」をそのサルは理解していないだろう。

自らの行動の真の理由を理解できるのはグレゴリー型生物（すなわち人間）だけである。おそらくそれには言語能力が必要であり、行為者本人も他人から「なぜそのような行動をしたのか」と問われるまでは自らの行動の真の理由を探ることはないだろう。こんにちのグレゴリー型生物は、自分自身を含む生物全般の行動の真の理由を科学的に理解しようと努めている。たとえばフサオマキザルに欺きが可能なのは「心の理論」をもっているからであり、それがその種の祖先の環境において生存繁殖上有利だったからである、というような進化論的な説明（あるいは遠因）を、グレゴリー型生物は考案するのである。

「生成評価の塔」を評価する

「生成評価の塔」はあくまでも理想化のためのモデルである。進化はこのように一直線に起こるわけではないし、すべての生物がいずれかの型にきれいに分類できるわけでもない。しかし、生物の心の多様性と進化を大摑みに理解するためには便利な第一近似である。

ギンズバーグとヤブロンカによれば、意識はスキナー型生物の段階で誕生した。この考えが正しければ、意識は無制約連合学習の能力と関連づけて研究されなければならない。デネットの分類は粗すぎるきらいもあるが、それでもスキナー型生物に類似の段階で意識が進化した可能性は高いように思われる。もちろんこれはあくまでも第一近似であり、今後は意識の詳細なモデルに基づくより解像度の高い研究が期待される。[13]

現段階ではっきりと言えることが一つある。それはポパー型生物やグレゴリー型生物も意識をもつが、その意識はスキナー型生物のそれとは異なり、新しく進化した高度な認知能力（自己認識や言語能力など）のおかげで大きく変容し、洗練されているということである。[14] したがって「生成評価の塔」から導かれる教訓の一つは、意識を正確に理解するためには「スキナー型生物ではあるがポパー型生物やグレゴリー型生物ではない生物」に焦点を合わせるべきである、ということになるだろう。変容した意識に注目すると、意識それ自体にとって本質的ではない特徴に目がいってしまう恐れがある。意識を「報告能力」と結びつける皮質中心主義者はそのような誤りを犯していたということができる（第1章参照）。

最初に意識が進化した生物がもっていたのは「ミニマルな意識」と呼べるようなものだろう。これとよく似た原始的な意識を保持した生物はこんにちでもみられるかもしれない。意識の研究は、スキナー型生物の中でもそうした生物に注目して行われるべきである[15]。

意識と生存をどのように結びつけるか

第1章では意識を生存に結びつけて論じることの困難に言及した。そこで第2章では代わりに意識を行為者性と結びつけて論じたが、その議論を敷衍していく中で行為の理由や目的との関連性がみえてくると、やはり意識を生存に結びつけることが自然であるように思われた読者もいるかもしれない。

意識を生存に結びつけるのであれば、意識がどのような機能や適応的価値をもつのかを明らかにしなければならない、と考える人もいるだろう。だが、「ヒトの切歯は食物を噛み切る機能をもつ」というのと同じ仕方で「意識はかくかくしかじかの機能をもつ」と主張する見解で広く受け入れられたものは存在しない。

どんな形質にも機能や適応的価値が認められるわけではない。ヒトの「親知らず」のような痕跡器官には機能や適応的価値が認められない。しかし痕跡器官は遠い祖先においては適応的価値があったのであり、それゆえ自然選択によって進化した適応であるといわれる。[16] 同様に、「意識はこんにち適応的価値を一切もっていないとしても、遠い祖先においては適応的価値があったのであり、それゆえ自然選択によって進化した適応である」というように、意識を祖先の生存と結びつける考え方もあるかもしれない。だが、もちろんこれでは問題を先延ばしにしただけである。

そうしてみると、現在のものであれ過去のものであれ、そもそも意識に機能や適応的価値を帰属させるのが間違いのもとではないだろうか。そのような発想は意識を目的律的に説明しようという態度から生まれる。しかし、私たちの見立てでは、意識はむしろ目的論的な説明を要求する。

この点において私たちはファインバーグとマラットではなく、ギンズバーグとヤブロンカに同意する。彼女たちは意識を生命になぞらえ、生命そのものの適応性について語るのがナンセンスであるのと同じように、意識の適応性について語るのもナンセンスであると主張する。[17]

しかし、私たちはむしろ意識を多細胞体制（刺激的な言い方をするなら「身体」）になぞらえたい。多細胞体制は、それ自体が何かの機能を果たすのではなく、個々の形質（組織や器官）の機能が成り立つための前提条件になっている。多細胞体制の進化は、それ以後の新たな進化の可能性を切り開く「進化可能性の進化」であった。意識も同様に、それ自体が何らかの機能を果たすようなものではなく、それがあって初めて特定の形質（行為）に適応的価値が生まれるような前提条件と考えるべきである。

多細胞体制は生物の分類群ごとに違いがある。たとえば脊椎動物と節足動物と頭足類では身体の「つくり」が異なっている。それと同様に、意識もこれら三つの系統でまったく同じではなく、違う「つくり」になっている可能性がある。これは（先述のように）意識が三つの系統で独立に収斂進化したことを踏まえれば、むしろ当然に思われるだろう。異なる分類群の生物の「ボディプラン」について生物学者が語るのと同じように、異なる分類群の生物のいわば「マインドプラン」について考察することは、今後の意識科学の課題の一つといえるかもしれない[18]。

意識は適応的な行為選択の土台である

千変万化する環境の中で状況に応じて柔軟な行為選択をするためには意識が欠かせない。直面した状況を意識的に経験することができれば、その経験をした生物自身がもつ理由や目的に基づいて特定の行為を柔軟に選び取ることができる。その行為が適応的価値をもつかどうかは、当の生物を取り巻く状況に加えて、行為の理由や目的がどのようなものであるかに応じて決まる。いずれにしろ、意識そのものが適応的かどうかと問うことは意味をなさない。意識はむしろ行為が適応的かどうかという問いが成立するために必要な前提条件である[19]。

盲視者のように部分的にでも意識を失えば、適応的な行為選択の土台が損なわれるので、生存が困難になったとしても不思議はない。したがって、盲視者は生存に困難を抱えるというファインバーグとマラットの主張に異論はない。だが、生存に困難を抱える理由については同意できない。意識を失うと生存が困難になるのは、意識それ自体に適応的価値があるからではなく、意識が適応的な行為選択の土台をなすからである。[20]

かつてハイエクは『感覚秩序』の中で次のように述べた。[21]

> おそらく、意識とは「何であるか」について満足な定義をすることは不可能であり、むしろこのことは感覚の質の「絶対的」な性格という「問題」と同種の見せかけの問題である。われわれは、意識とは「何である」かを問うのではなくて、ただ意識はなにをするのかを問うことによって、この困難を避ける努力をしたいと思う。言いかえると、われわれがもっぱら関心をもつのは、意識される心的過程から生まれることを知っている行動と、無意識の心的過程が生む行動との相違である。（ハイエク 一九八九、一五四頁）

基本的に同意できる主張だが、一点だけ修正を加えるとすれば、私たちは意識が「何をするのか」を問うのではなく、むしろ「何をさせるのか」を問うべきなのである。

意識研究の今後

意識が生物の主体性と深く結びついているのであれば、意識はもはや科学にとっての単なる説明対象ではない。意識は一部の生物の行動やその進化を説明する重要な要因の一つになる。意識の研究者は説明されるもの（被説明項）としての意識と、説明するもの（説明項）としての意識という、意識の両面を考慮に入れなければならない。

これは同時に行為主体としての生物体の重要性という論点につながる。本章では意識を多細胞体制（身体）になぞらえたが、どのようなボディプランをもつ生物が意識的な経験をするのかという問題も興味深い[22]。

本書の議論がおおむね正しければ、今後の意識研究においては、神経科学に加えて発生生物学や動物行動学、それに認知科学や進化生物学といった関連する諸分野を総動員した科学的知見の総合が求められることになるだろう。多様な科学的知見が求められるということは、自然界に多様な原因があるということを反映している。目的因や形相因は、唯物論や機械論が支配的になった近代以降の科学において排除されてきた。そのせいもあってか、前世紀において意識はそもそも科学の研究対象とはみなされず、一部の哲学者には「ハード・プロブレム」と認識されることになった。

これに対して、目的因を目的指向性という現代科学になじみやすい用語に置き換えて意識の研究に取り込むというやり方もありうるが、それでは不十分である。というのも目的指向性の原因としての本性や、機械論的・唯物論的な原因との関係性についてはまだ十分に論じられていないからである。単に異なる種類の原因があるというだけでは不十分であり、原因についての理論が背後に控えていなければならない。アリストテレスにとっては四原因説がそれに該当し、彼の自然学の探究はそれに基づいて行われた。現代の意識科学においても同様に、原因概念の再考が求められる。(23)

あとがき

本書では意識と目的という、従来はあまり関連づけて論じられることのなかった問題圏が、実は竹林のように地下茎でつながっているということを示してきた。だが、その存在を明示することのできなかった地下茎の方がはるかに多いことは明らかである。本書で言及できなかった哲学上の立場や科学理論は少なくない。科学方法論に焦点を絞ったために形而上学的な考察はほとんど行えなかったし、自己や自由、規範性といった概念との関連や、人工生命体や人工知能（ＡＩ）の意識という論点への応用、動物倫理への含意などについてはまったく触れることができなかった。これらは著者たちの今後の課題であるし、同じテーマに関心をもつ人々によるさらなる研究が期待されるところでもある[1]。

本書は多くの方々のご協力とご支援のおかげで完成まで漕ぎつけることができた。第十三回生物学基礎論研究会（於・自然科学研究機構岡崎コンファレンスセンター、二〇一九年）のワークショップ「意識をめぐる問題への新しい生物学的アプローチの検討」および科学基礎論学会二〇二一年度研究例会（オンライン）のワークショップ「動物意識の起源：心の科学と哲学の新展開」にご参加いただいた皆様に感謝したい。後者のワークショップ講演者の網谷祐一氏（会津大学）とコメンテーターの鈴木貴之氏（東京大学）からは、準備のためのミーティングの中で数々の有益な助言を頂戴した。また両氏には科学基礎論学会の学会誌（*Annals of the Japan Association for Philosophy of Science*, Vol. 31, 2022）の特集（The Evolutionary Roots of Consciousness — New Biological Perspectives for Philosophy of Mind）にも寄稿していただいた。この特集は本書の内容とも深く関わるので、ご一読いただければ幸いである。

本書の内容はＪＳＰＳ科研費ＪＰ２０Ｋ００２７５および慶應義塾大学の二〇二二年度学事振興資金（個人研究）の助成を受けた研究に基づいている。本書の出版に際しては慶應義塾大学三田哲学会による支援を受けることができた。また、慶應義塾大学出版会の村上文さんの忍耐と助言がなければ本書は日の目を見なかっただろう。ここに記して謝意を表したい。

注

はじめに

（1）心の哲学分野の入門書として金杉（二〇〇七）、意識の問題に関する論文集として信原・太田〔編〕（二〇一四）が挙げられる。

（2）たとえばブレイスウェイト（二〇一八）、ゴドフリー＝スミス（二〇一八、二〇二三）、Tye (2017), Mikhalevich and Powell (2020).

（3）チャーマーズ（二〇〇一）。

（4）物理主義の立場からの反論については鈴木（二〇一五）参照。

（5）チャーマーズ（二〇一六）。

（6）マッギン（二〇〇一）。彼の立場は「神秘主義」とも呼ばれる。ファインバーグとマラットの『意識の神秘を暴く』（二〇二〇）という本のタイトルは、神秘主義に対するアンチテーゼの表明である。

（7）近因と遠因の区別に関する詳細はマイア（一九九四）、森元・田中（二〇一六）参照。

（8）Amitani (2022).

第1章

（1）本章と第2章前半の内容は基本的に Ota, Suzuki, and Tanaka (2022) に基づく。

（2）もちろん感覚様相ごとの違いもある。ゴドフリー＝スミス（二〇二三）を参照。本書の枠組みの中でその違いを検討することは今後の課題である。

（3）グッデイル＆ミルナー（二〇〇八）。以下の形態失認に関する記述や説明は、特に断りのない限り同書に基づく。なお、図1は実際の経路を単純化しており、背側経路と腹側経路の間の相互作用が描かれていない。だが、この相互作用はグッデイルとミルナーのモデルにおいて決して無視されているわけではない。ミルナーによれば、患者DFの症例は厳密には腹側経路の単なる損傷ではなく、それに伴う腹側経路から背側経路への情報入力の喪失によるものとして説明される（Milner 2017）。

（4） Weiskrantz (1986, 1997), Weiskrantz et al. (1974).

（5） Cowey and Stoerig (1995).

（6） Wylie et al. (2009), Shimizu and Watanabe (2012).

（7） ファインバーグ&マラット（二〇一七）。

（8） Bickle (2020). 多重実現をめぐる議論については太田（二〇一〇）参照。

（9） たとえば Collins (1997), Corcoran (2001), Kim (1995).

（10） 「強い創発」と「弱い創発」の区別については Bedau (1997), Chalmers (2006), Suzuki, T. (2022) 参照。この区別に関するファインバーグとマラットの最近の議論は Feinberg and Mallatt (2020) 参照。創発概念についてはさまざまな議論がある。興味のある読者は田中・佐藤（二〇一三）、マラテール（二〇一三）、斎藤（二〇一四）、佐藤（二〇一八）などを参照されたい。

（11） 頭足類の意識に関してはゴドフリー＝スミス（二〇一八）が参考になる。ただし、彼は「意識」を本書とは別の意味で用いており、本書でいうところの意識に対しては「主観的経験」という語をあてている。節足動物の意識に関してはゴドフリー＝スミス（二〇二三）や Klein and Barron (2016), Barron and Klein (2016), Tye (2017), Veit (2022) などを参照。

（12） 最近彼らはこの点に関して多重実現概念と絡めた議論を展開している（Mallatt and Feinberg 2021）。異なる系統における意識の収斂進化（意識の多重実現）に関する近年の議論としてはほかに Powell (2020) が挙げられる。

（13）この世界を構成するミクロな基礎的存在者にある種の「意識」を認める「汎心論（panpsychism）」の支持者は、そうした基礎的存在者から構成されるヒトデやホタテガイにもなんらかの「意識」を認めるだろう。だが、その主張を受け入れたとしても、そうした動物の「意識」が脊椎動物や頭足類の意識と同じであると判断できる根拠はない。

（14）厳密に言えばコウモリの翼と翼竜の翼と鳥類の翼は脊椎動物の前肢としては相同であるが、ここで問題にしているのはそれらが飛翔のための構造としては相同でないということである。

（15）以上の記述は Maor et al. (2017), Gerkema et al. (2013), Heesy and Hall (2010), Knudsen (2020) を参考にした。

（16）たとえば Beshkar (2008), Butler et al. (2005), Butler and Cotterill (2006), Griffin and Speck (2004).

（17）ファインバーグ＆マラット（二〇一七）、二六五頁。

（18）Block and Fodor (1972), Couch (2005).

（19）相同性概念についての詳細な分析は Suzuki and Tanaka (2017) 参照。

（20）以下の記述は Félix (2005), Sommer (2008), Haag and True (2018), Müller (2003), True and Haag (2001) に基づく。

（21）Ereshefsky (2009). 類似のアイデアを神経科学者のエーデルマンとギャリーが「縮重」という用語で表現している（Edelman and Gally 2001）。ただし、厳密に言うと「縮重」は低次レベルの要素の「能力」を指すものとされていて、低次レベルの要素と高次レベルの結果が多対一の関係になりうるという事実を表現する用語ではない。

（22）Newcomb et al. (2012), Sakurai et al. (2011), Sakurai and Katz (2017).

（23）Matthen (2007, 2015).

（24）Bowmaker (2008), Hunt et al. (2009), Thoreson and Dacey (2019).

（25）形態失認患者についてはMestre et al. (1992) および Milner and Goodale (2008) を、バリント症候群の患者についてはグッデイル＆ミルナー（二〇〇八）を、盲視者については de Gelder et al. (2008) を、盲視のサルについていては Yoshida et al. (2012) を参照。

(26) Battersby et al. (1956), Bisiach and Luzzatti (1978). この症状はブラックモア（二〇一〇）が紹介している。

(27) Marshall and Halligan (1988). この実験は Blackmore (2010) が紹介している。

(28) Marcel (1988), Naccache (2006), Brown et al. (2019) 参照。

第2章

(1) たとえば Lau and Rosenthal (2011), Rosenthal (2002).

(2) Baars and Edelman (2012).

(3) Rosenthal (2008), Brown et al. (2019).

(4) 盲視のサルは意識されない視覚情報に基づいて「自発的行動」を学習できるという実験報告もある（Kato et al. 2021）。だがこの実験で盲視視野に呈示されるのは、自発的行動をした後にそれが報酬につながる行動だったかどうかを示す手がかり刺激であって、被検体はこの手がかり刺激に対して自発的に行為者性を発揮しているわけではない。

(5) 行為者（agent）概念と主体（subject）概念については Lewontin (1983), Godfrey-Smith (2017) およびゴドフリー＝スミス（二〇二三）参照。

(6) Marcel (1986).

(7) 厳密に言えば、意識と結びつかない行為者性も理由や目的と無関係なわけではない（形態失認患者が障害物を避けながら歩くという行為には、ある種の理由や目的がある）。重要なポイントは、意識と結びつく行為者性と結びつかない行為者性では関係する行為の理由や目的が異なるということである。これは第4章で登場するダーウィン型生物とスキナー型生物の目的指向性の違いに対応する。

（8） グッデイル&ミルナー（二〇〇八）。第1章の注3で述べたように、背側経路と腹側経路の間には相互作用がある。健常者が通常、目の前に置かれた歯ブラシを適切な仕方で摑むことができるのは、この相互作用のおかげでもある（van Polanen and Davare 2015）。

（9） Creem and Proffitt (2001). この実験はグッデイル&ミルナー（二〇〇八）が簡単に紹介している。

（10） たとえばマクダウェル（二〇一二）、Hacker (2007).

（11） 行為者性概念一般については Schlosser (2019) が、生物学の哲学の文脈での議論は Okasha (2018) が参考になる。高度な認知能力を求めない行為者性概念に関する議論は Hurley (2003) や Glock (2009) などを参照されたい。心理学者のトマセロ（二〇二三）は最近行為者性の進化について論じているが、無脊椎動物の能力を過小評価しているように見受けられる。「意図的な行為」としての行為者性については哲学的行為論の分野で議論の蓄積があり、日本語で読める解説も多数ある。良質の入門書として柏端（二〇一六）を挙げておく。

（12） デネット（二〇一八）。

（13） 細菌については Barandiaran et al. (2009), Barham (2012), Fulda (2017) を、植物については Heras-Escribano and Calvo (2020), Gilroy and Trewavas (2023), Trewavas (2023) などを参照。現生の二枚貝類や扁形動物、線形動物、あるいはエディアカラ紀の動物などのように、神経系がもっぱら行動を生みだすことに使われて、感覚と行動を仲介する機能を備えていない動物もいる（ゴドフリー＝スミス 二〇一八）。この種の動物の「行為者性」は、本書で焦点を合わせる行為者性とはまた異なる種類のものである。

（14） 人間中心主義の批判的検討については Suzuki, D. G. (2022a)、鈴木（二〇二三）も参照されたい。

（15） 人間の行為者性と他の生物のそれとの間に違いがまったくないというわけではない。人間に特有の行為者性に焦点を合わせる際には「行動」と「行為」の区別は有用だろう。

（16） Wooldridge (1963), ウルドリッジ（一九七二）。

（17）アナバチに関する記述が『ファーブル昆虫記』に由来するということは Keijzer (2001) に教えられた。『ファーブル昆虫記』を確認すると、第四巻第三章「本能のくるい」に書かれているルリジガバチに関する記述では獲物がクモであるなど細部は異なるが、実験の方法や結論は同じである。

（18）Morgan (1900), p. 77.

（19）Peckham and Peckham (1898).

（20）Morgan (1900), p. 78.

（21）Keijzer (2001).

第3章

（1）ステレルニー&グリフィス（二〇〇九）、西脇（二〇〇四）参照。

（2）ラマルク（一九八八）、ボウラー（一九八七）。

（3）進化論の歴史に関してはルース（二〇〇八）、ボウラー（一九八七）、モランジュ（二〇一七）参照。ラマルキズムの復権を図る動きについてはギンズバーグ&ヤブロンカ（二〇二一）、Jablonka & Lamb (1995, 2005) 参照。

（4）アリストテレス（二〇一七）、中畑（二〇二三）、Matthen (2009).

（5）西脇（二〇〇四）。形相因を引き合いに出す本質主義的な説明も同様の運命を辿ったが、目的論と同じく本質主義についても現代の哲学においてその復権を図るさまざまな動きがある。アリストテレス的な自然主義において目的論と本質主義は不可分に結びついており、これを「目的論的な本質主義」と呼んで擁護する論者もいる（たとえば Walsh 2006）。この立場は、生物学の哲学においてしばしば批判の対象となってきた類型学的な本質主義とは別物である。本書の焦点は目的論にあるため、本質主義についての考察は差し控える。

（6）　スピノザ（二〇二二）、五〇頁。
（7）　Walsh (2008, 2015).
（8）　このような批判をラマルクに向けてきたのはウォレスだけではない。ちなみに、ラマルキズムの復権を図るギンズバーグとヤブロンカによれば、この種の批判はラマルクに対する誤解に基づいている。なお、彼女たちは意識の進化研究を広い意味での「進化心理学」と捉え、ラマルクをその先駆者の一人として高く評価している。こうした見方を一概には否定しないが、本書では一定の距離を置く。
（9）　内井（一九九五）。
（10）　Broad (1925). 機械論および還元主義と非還元主義の論争については佐藤（二〇一三）参照。なお、本書では検討できないが、機械論は現代の科学哲学者によってアップグレードされている（たとえばMachamer et al. 2000）。
（11）　Matthen (2009).
（12）　本節の記述はWalsh (2008, 2015) を参考にした。目的論に関する哲学史的考察および現代科学との比較については佐藤（一九九一、二〇〇五）参照。
（13）　大塚（二〇一〇）。
（14）　マイア（一九九四）、四六―四七頁。
（15）　以下の解説は主にWalsh (2008, 2015) に基づくが、この区別自体は一般的である（ルース二〇〇八、ルロワ二〇一九、McDonough ed. 2020などを参照）。
（16）　Lennox (2001).
（17）　Walsh (2015).
（18）　プラトンとアリストテレスによる腸についての説明の対比はルロワ（二〇一九）を参考にした。

(19) 動物の知性と擬人主義に関するアリストテレスの議論については金子（二〇一六）を参照されたい。
(20) アリストテレス（二〇一七）、一一〇頁。
(21) それぞれウィーナー（二〇一一）、フォン・ベルタランフィ（一九七三）、カウフマン（二〇〇八）参照。カウフマンは最近の論文の中でWalsh (2015) を引用しながら「目的律」の重要性を強調しているが、それは実際には本書で言うところの目的論に該当する。たとえば彼は「生物はその価値、したがってその内的目標、そしてそれがもつ機会に従って行為をする」(Kauffman and Roli 2023, p. 156) と述べている。目的論という語の使用が避けられ、目的律という語が好まれる理由については本文参照。
(22) Walsh (2008, 2015).
(23) ソーバー（二〇〇九）、大塚（二〇一〇）。
(24) Pittendrigh (1958), マイア（一九九四）、モノー（一九七二）。モノーに関しては佐藤（二〇一二）も参照されたい。
(25) ウィリアムズ（二〇二二）は「目的律」を適応の研究の呼称として用いることを提案している。
(26) 松本（二〇一四）参照。
(27) 専門知識をもつ読者は次のような疑問を抱くかもしれない。本書が提示しているのは、目的指向性は（ミクロ物理的事実に付随はするが）生命現象を説明するアイテムとして必須であるという認識論的テーゼに過ぎないのか。それとも、目的指向性はミクロ物理的事実に付随すらしないという存在論的なテーゼにまで踏み込んで主張しているのか。あるいは、目的指向性はミクロ物理的事実に付随するが、それとタイプとして同一視されうるような物理的性質はない、といった「第三の道」を模索したいのか。本書の主眼はあくまで意識であり、生命現象一般について論じているわけではないが、意識に関してどのテーゼが支持されるのかというのはもっともな疑問である。これに対して本書は明確な答えを出していないが、存在論的テーゼまで支持されることはないという点で、著者たちの見解は一致している。というのも、それは（次章の用語を使えば）科学的自然主義の立場としてあまりにラディカルだからである。ついでながら、次章の最後で述べることを本注に即して先取りしておこう。本書で提起したいのは、上記のどのテーゼが支持されるのかということよりもむしろ、「ミクロ物理的事実に付随する」や「タイプとして同一である」といったことは、そもそもいったいどういうことなのかが、あらためて問われなければならないということである。

（28） West-Eberhard (2003), p. 34.

（29） Agrawal (2001).

（30） Walsh (2008), p. 130.

（31） 本書の準備過程で出版された論文集（Corning et al. 2023）には目的論と行為者性に関わる重要な論考が何本も収録されている。たとえば行為者性概念が進化生物学から排除された歴史的経緯に関する論考（Noble and Noble 2023）は本章の内容と共鳴する。

第4章

（1） 「科学的」と形容する理由はマイケル・トンプソン（Thompson 2008）の「アリストテレス的な自然主義」と区別するためである。トンプソンは自身の立場を「素朴な自然主義」とも呼び、「洗練された自然主義」（マクダウェル 二〇一二など）と対比させている。「アリストテレス的な科学的自然主義」は、そのいずれとも異なる立場である。なお、現代哲学における自然主義についての一般的な解説は植原（二〇一七）参照。

（2） 類似の議論は Heylighen (2023) にみられる。

（3） 森元・田中（二〇一六）、モランジュ（二〇一七）。

（4） Pigliucci and Müller eds. (2010), Lewens (2019) および The extended evolutionary synthesis (EES) のウェブサイト

https://extendedevolutionarysynthesis.com/（二〇二四年二月二十二日最終閲覧）などを参照されたい。

（5）戸田山（二〇一一）。

（6）ウォルシュ（Walsh 2015）の「目的論的な自然主義」あるいは「状況に埋め込まれたダーウィニズム」との違いにも言及しておこう。彼は行為主体としての生物が進化において重要な役割を果たすという考えをダーウィンに見出し、ダーウィン進化論の後継理論としての進化の総合説の対抗馬として自説を位置づける（進化の総合説に対する彼の批判はWalsh 2023参照）。それに対し、本書はあくまでも進化の総合説の修正を図るので、ウォルシュほど急進的ではない（彼は「方法論的な生気論」（Walsh 2018）という挑戦的な呼称も用いている）。また本書が求めるのは目的論の見直し（すぐ後で述べる「双方向的な修正」）であるという点でも違いがある。

（7）「生成評価の塔」についてはデネット（二〇〇一、二〇一六、二〇一八）を参照した。次節の記述もこれらに基づく。「生成評価の塔」に関するギンズバーグとヤブロンカの見解についてはJablonka and Ginsburg (2022) も参照されたい。

（8）メイナード＝スミス＆サトマーリ（一九九七）、Dawkins (1988). 最近ではトマセロ（二〇二三）が行為者性の段階的進化について論じている。

（9）人間をこの枠組みで語り尽くせるかどうかは、科学的自然主義の是非が絡む重要な論点である。

（10）無制約連合学習についてはBirch et al. (2020) も参照されたい。

（11）パーカー（二〇〇六）。カンブリア紀の動物についてはファインバーグとマラットの著作に詳しい記述がある（最初の捕食者は節足動物であり、脊椎動物の祖先は当初は被食者側であったと考えられる）。ゴドフリー＝スミスはトレストマンの「複雑で活発な身体」（Trestman 2013）という概念を引き合いに出して意識をこれと関連づけるが、基本的な発想は同じである。ちなみにトレストマンは「複雑で活発な身体」を持ちうるのは三つの主要なグループに属する動物だけであると述べているが、その三つのグループは、現在多くの研究者によって意識をもつと認められている動物群（節足動物、脊椎動物、頭足類）とほぼ一致する。

（12） Wheeler (2009).

（13） ギンズバーグとヤブロンカ自身がすでにそうした研究に着手しているし、他の研究者も追随している（Suzuki, D. G. 2022b など）。

（14） 同様のことはゴドフリー＝スミス（二〇一八）も指摘している。

（15） ヤツメウナギは有力な候補である（Suzuki, D. G. 2021）。鈴木貴之によれば、意識の問題における「説明ギャップ」（Levine 1983）に「橋を架ける」にはギャップが最小であるところが最も適している。意識の進化的起源の探究はそのような架橋場所を教えてくれるかもしれない（Suzuki, T. 2022）。

（16） ステレルニー＆グリフィス（二〇〇九）。

（17） Ginsburg and Jablonka (2020).

（18） 「タコであるとはどのようなことか」（ゴドフリー＝スミス 二〇一八、第四章）という問いは、「コウモリであるとはどのようなことか」（ネーゲル 一九八九）という問いとある意味では同じだが（どちらも人間が他種の意識について知りうるかどうかを問うている）、別の意味では同じではない（両者は異なる「マインドプラン」についての問いである）。ちなみにゴドフリー＝スミス（二〇一八）では「タコになったらどんな気分か」と訳されているが、これは誤りである（「人間がもしもタコになったら」という変身の話をしているわけではない）。

（19） 「適応性」の意味を非常に広く取れば、意識そのものも適応的であるといえるかもしれない。しかし、「適応性」を「それを失えば生存が困難になるもの」というような広い意味で捉えると、非常に多くの生物学的特徴が適応的であることになってしまうだろう。ここではそうした意味でこの語を用いてはいない。というのも、そのような用語法は生物学的に重要な区別を曖昧にしてしまう恐れがあるからである（たとえば、脊椎動物のボディプランとその一部を構成する切歯の両方に対して同じ「適応的である」という表現をあてはめてもよいだろうか)。

(20) 盲視者が生存に困難を抱えるとすれば、彼らは部分的な「哲学的ゾンビ」ではないことになる。しかしそれは、視覚意識に適応的な機能があり盲視者においてはそれが失われているからではない。

(21) この著作の重要性は鈴木貴之氏に教えられた。

(22) 生物体の重要性については田中(二〇一三)および Lewontin (1983), Godfrey-Smith (2017), Walsh (2015, 2018) 参照。身体と意識の関連性は「身体化された認知」理論の支持者によっても強調されるが、ゴドフリー=スミス(二〇一八)はそれとはまた異なる仕方で、脊椎動物とは異なるボディプランをもつ頭足類の意識について興味深い考察を行っている。

(23) 最近ヤブロンカとギンズバーグはアリストテレスの四原因を「ティンバーゲンの四原因」(系統発生的原因、機能的原因、発生的原因、機械論的原因)と対応づけている(Jablonka and Ginsburg 2022)。現代においてこうした原因の区別がどのような意味をもつのかが検討されなければならない(近因と遠因の区別も同様の観点から考察されるべきである)。現代生物学における因果性概念の再検討については進化生態学者の中島敏幸の一連の研究を参照されたい(中島 二〇一〇、二〇一三、Nakajima 2017, 2022など)。

あとがき

(1) 本書の最終校正の段階で出版された小草・新川(二〇二四)は、近年の意識の進化研究について本書とは異なる側面を分析した論考として注目に値する。

参考文献

邦語文献（紙幅の関係で原書情報は省略した）

アリストテレス（二〇〇五）『動物部分論・動物運動論・動物進行論（西洋古典叢書）』坂下浩司訳、京都大学学術出版会

アリストテレス（二〇一七）『新版　アリストテレス全集4　自然学』内山勝利ほか〔編集〕、岩波書店

ウィーナー（二〇一一）『サイバネティックス――動物と機械における制御と通信』池原止戈夫ほか訳、岩波書店

ウィリアムズ（二〇二二）『適応と自然選択――近代進化論批評』辻和希訳、共立出版

植原亮（二〇一七）『自然主義入門――知識・道徳・人間本性をめぐる現代哲学ツアー』勁草書房

内井惣七（一九九五）『科学哲学入門――科学の方法・科学の目的』世界思想社

ウルドリッジ（一九七二）『メカニカル・マン――人間は自然科学で説明できるか』田宮信雄訳、東京化学同人

太田紘史（二〇一〇）「理論間還元と機能主義」、松本俊吉〔編著〕『進化論はなぜ哲学の問題になるのか――生物学の哲学の現在』（勁草書房）所収

大塚淳（二〇一〇）「生物学における目的と機能」、松本俊吉〔編著〕『進化論はなぜ哲学の問題になるのか――生物学の哲学の現在』（勁草書房）所収

小草泰・新川拓哉（二〇二四）「意識をめぐる新たな生物学的自然主義の可能性」、『科学基礎論研究』第五一巻第一・二号、一一五―一三五頁

カウフマン（二〇〇八）『自己組織化と進化の論理――宇宙を貫く複雑系の法則』米沢富美子監訳、筑摩書房

柏端達也（二〇一六）『コミュニケーションの哲学入門』慶應義塾大学三田哲学会

金杉武司（二〇〇七）『心の哲学入門』勁草書房

金子善彦（二〇一六）「動物の知性——『動物誌』に見るその位置づけと「擬人化」の問題」、『理想』第六九六号、三八—四九頁
ギンズバーグ&ヤブロンカ（二〇二一）『動物意識の誕生——生体システム理論と学習理論から解き明かす心の進化』上・下巻、鈴木大地訳、勁草書房
グッデイル&ミルナー（二〇〇八）『もうひとつの視覚——〈見えない視覚〉はどのように発見されたか』鈴木光太郎・工藤信雄訳、新曜社
ゴドフリー＝スミス（二〇一八）『タコの心身問題——頭足類から考える意識の起源』夏目大訳、みすず書房
ゴドフリー＝スミス（二〇二三）『メタゾアの心身問題——動物の生活と心の誕生』塩﨑香織訳、みすず書房
サール（二〇〇八）『ディスカバー・マインド！——哲学の挑戦』宮原勇訳、筑摩書房
斎藤慶典（二〇一四）『生命と自由——現象学、生命科学、そして形而上学』東京大学出版会
佐藤直樹（二〇一二）『40年後の『偶然と必然』——モノーが描いた生命・進化・人類の未来』東京大学出版会
佐藤直樹（二〇一三）「生物学的説明の二元論——生物学的文脈の中の還元論、非還元論」、『生物科学』第六五巻第一号、五四—六三頁
佐藤直樹（二〇一八）『創発の生命学——生命が1ギガバイトから抜け出すための30章』青土社
佐藤康邦（一九九一）『ヘーゲルと目的論』昭和堂
佐藤康邦（二〇〇五）『カント『判断力批判』と現代——目的論の新たな可能性を求めて』岩波書店
鈴木大地（二〇二三）「脳と意識の進化——人間中心主義へのアンチテーゼ」、『精神療法』第四九巻第五号、六五九—六六三頁
鈴木貴之（二〇一五）『ぼくらが原子の集まりなら、なぜ痛みや悲しみを感じるのだろう——意識のハード・プロブレムに挑む』勁草書房

ステレルニー&グリフィス（二〇〇九）『セックス・アンド・デス——生物学の哲学への招待』太田紘史ほか訳、春秋社
スピノザ（二〇二二）『スピノザ全集　第Ⅲ巻　エチカ』上野修・鈴木泉〔編集〕、岩波書店
ソーバー（二〇〇九）『進化論の射程——生物学の哲学入門』松本俊吉ほか訳、春秋社
田中泉吏（二〇一三）「有機体とは何か——生物学における存在論」、西脇与作〔編著〕『入門　科学哲学——論文とディスカッション』（慶應義塾大学出版会）所収
田中泉吏・佐藤直樹（二〇一三）「生命現象は物理学や化学で説明し尽くされるか」、『生物科学』第六五巻第一号、二—九頁
チャーマーズ（二〇〇一）『意識する心——脳と精神の根本理論を求めて』林一訳、白揚社
チャーマーズ（二〇一六）『意識の諸相』上・下巻、太田紘史ほか訳、春秋社
デネット（二〇〇一）『ダーウィンの危険な思想——生命の意味と進化』山口泰司訳、青土社
デネット（二〇一六）『心はどこにあるのか』土屋俊訳、筑摩書房
デネット（二〇一八）『心の進化を解明する——バクテリアからバッハへ』木島泰三訳、青土社
デネット（二〇二〇）『自由の余地』戸田山和久訳、名古屋大学出版会
戸田山和久（二〇一一）「「エボデボ革命」はどの程度革命的なのか」、日本科学哲学会〔編〕・横山輝雄〔責任編集〕『ダーウィンと進化論の哲学』（勁草書房）所収
トマセロ（二〇二三）『行為主体性の進化——生物はいかに「意思」を獲得したのか』高橋洋訳、白揚社
中島敏幸（二〇一〇）「生物学的階層における因果決定性と進化」、松本俊吉〔編著〕『進化論はなぜ哲学の問題になるのか——生物学の哲学の現在』（勁草書房）所収
中島敏幸（二〇一三）「生命システムの通時的階層性における上位から下位レベルへの決定性」、『生物科学』第六

五巻第一号、三一―四二頁
中畑正志（二〇二三）『アリストテレスの哲学』岩波書店
新妻昭夫（二〇〇一）『種の起原をもとめて――ウォーレスの「マレー諸島」探検』筑摩書房
西脇与作（二〇〇四）『科学の哲学』慶應義塾大学出版会
ネーゲル（一九八九）『コウモリであるとはどのようなことか』永井均訳、勁草書房
信原幸弘・太田紘史（編）（二〇一四）『シリーズ　新・心の哲学Ⅱ　意識篇』勁草書房
パーカー（二〇〇六）『眼の誕生――カンブリア紀大進化の謎を解く』渡辺政隆・今西康子訳、草思社
ハイエク（一九八九）『ハイエク全集第4巻　感覚秩序』穐山貞登訳、春秋社
ハンフリー（一九九三）『内なる目――意識の進化論』垂水雄二訳、紀伊國屋書店
ファインバーグ&マラット（二〇一七）『意識の進化的起源――カンブリア爆発で心は生まれた』鈴木大地訳、勁草書房
ファインバーグ&マラット（二〇二〇）『意識の神秘を暴く――脳と心の生命史』鈴木大地訳、勁草書房
ファーブル（一九九三）『完訳　ファーブル昆虫記　4』山田吉彦・林達夫訳、岩波書店
フォン・ベルタランフィ（一九七三）『一般システム理論――その基礎・発展・応用』長野敬・太田邦昌訳、みすず書房
ブラックモア（二〇一〇）『1冊でわかる　意識』信原幸弘ほか訳、岩波書店
プラトン（一九七五）『プラトン全集12　ティマイオス　クリティアス』種山恭子・田之頭安彦訳、岩波書店
ブレイスウェイト（二〇一二）『魚は痛みを感じるか？』高橋洋訳、紀伊國屋書店
ボウラー（一九八七）『進化思想の歴史』上・下巻、鈴木善次訳、朝日新聞社
ホフスタッター（一九九〇）『メタマジック・ゲーム――科学と芸術のジグソーパズル』竹内郁雄ほか訳、白揚社

マイア（一九九四）『進化論と生物哲学――一進化学者の思索』八杉貞雄・新妻昭夫訳、東京化学同人
マクダウェル（二〇一二）『心と世界』神崎繁ほか訳、勁草書房
マッギン（二〇〇一）『意識の〈神秘〉は解明できるか』石川幹人・五十嵐靖博訳、青土社
松本俊吉（二〇一四）『進化という謎』春秋社
マラテール（二〇一三）『生命起源論の科学哲学――創発か、還元的説明か』佐藤直樹訳、みすず書房
ミズン（一九九八）『心の先史時代』松浦俊輔・牧野美佐緒訳、青土社
メイナード＝スミス＆サトマーリ（一九九七）『進化する階層――生命の発生から言語の誕生まで』長野敬訳、シュプリンガー・フェアラーク東京
モノー（一九七二）『偶然と必然――現代生物学の思想的な問いかけ』渡辺格・村上光彦訳、みすず書房
モランジュ（二〇一七）『生物科学の歴史――現代の生命思想を理解するために』佐藤直樹訳、みすず書房
森元良太・田中泉吏（二〇一六）『生物学の哲学入門』勁草書房
ラマルク（一九八八）『動物哲学』高橋達明訳、朝日出版社
ルース（二〇〇八）『ダーウィンとデザイン――進化に目的はあるのか？』佐倉統ほか訳、共立出版
ルロワ（二〇一九）『アリストテレス　生物学の創造』上・下巻、森夏樹訳、みすず書房

英語文献

Agrawal, A. A. 2001. Phenotypic plasticity in the interactions and evolution of species. *Science* 294 (5541), 321–326.
Amitani, Y. 2022. Do new evolutionary studies of consciousness face similar methodological problems as evolutionary studies of mind? *Annals of the Japan Association for Philosophy of Science* 31: 31–53.
Baars, B. J., and D. B. Edelman. 2012. Consciousness, biology and quantum hypotheses. *Physics of Life Reviews* 9 (3): 285–294.

Barandiaran, X. E., E. Di Paolo, and M. Rohde. 2009. Defining agency: Individuality, normativity, asymmetry, and spatio-temporality in action. *Adaptive Behavior* 17 (5): 367–386.

Barham, J. 2012. Normativity, agency, and life. *Studies in History and Philosophy of Biological and Biomedical Sciences* 43 (1): 92–103.

Barron, A., and B. C. Klein. 2016. What insects can tell us about the origins of consciousness. *The Proceedings of the National Academy of Sciences* 113 (18): 4900–4908.

Battersby, W. S., M. B. Bender, M. Pollack, and R. L. Kahn. 1956. Unilateral "spatial agnosia" ("inattention") in patients with cerebral lesions. *Brain* 79 (1): 68–93.

Bedau, M. A. 1997. Weak emergence. *Philosophical Perspectives* 11: 375–399.

Beshkar, M. 2008. Animal consciousness. *Journal of Consciousness Studies* 15 (3): 5–33.

Bickle, J. 2020. Multiple realizability. In *The stanford encyclopedia of philosophy* (Summer 2020 Edition), ed. E. N. Zalta（URL = https://plato.stanford.edu/archives/sum2020/entries/multiple-realizability/〔最終閲覧：二〇二四年二月二十六日〕).

Birch, J., S. Ginsburg, and E. Jablonka. 2020. Unlimited associative learning and the origins of consciousness: A primer and some predictions. *Biology and Philosophy* 35: 56.

Bisiach, E., and C. Luzzatti. 1978. Unilateral neglect of representational space. *Cortex* 14 (1): 129–133.

Blackmore, S. 2010. *Consciousness: An introduction*. New York: Routledge.

Block, N. J., and J. A. Fodor. 1972. What psychological states are not. *Philosophical Review* 81 (2): 159–181.

Bowmaker, J. K. 2008. Evolution of vertebrate visual pigments. *Vision Research* 48 (20): 2022–2041.

Broad, C. D. 1925. *The mind and its place in nature*. London: Kegan.

Brown, R., H. Lau, and J. E. LeDoux. 2019. Understanding the higher-order approach to consciousness. *Trends in Cognitive*

Sciences 23 (9): 754–768.

Butler, A. B., and R. M. Cotterill. 2006. Mammalian and avian neuroanatomy and the question of consciousness in birds. *The Biological Bulletin* 211 (2): 106–127.

Butler, A. B., P. R. Manger, B. I. Lindahl, and P. Århem. 2005. Evolution of the neural basis of consciousness: A bird–mammal comparison. *BioEssays* 27 (9): 923–936.

Chalmers, D. J. 2006. Strong and weak emergence. In *The re-emergence of emergence: The emergentist hypothesis from science to religion*, eds. P. Clayton, and P. Davies, 244–254. Oxford: Oxford University Press.

Collins, C. 1997. Searle on consciousness and dualism. *International Journal of Philosophical Studies* 5 (1): 15–33.

Corcoran, K. 2001. The trouble with Searle's biological naturalism. *Erkenntnis* 55 (3): 307–324.

Corning, P. A., S. A. Kauffman, D. Noble, J. A. Shapiro, R. I. Vane-Wright, and A. Pross (eds.) 2023. *Evolution "on purpose": Teleonomy in living systems.* Cambridge, MA: MIT Press.

Couch, M. B. 2005. Functional properties and convergence in biology. *Philosophy of Science* 72 (5): 1041–1051.

Cowey, A., and P. Stoerig. 1995. Blindsight in monkeys. *Nature* 373 (6511): 247–249.

Creem, S. H., and D. R. Proffitt. 2001. Grasping objects by their handles: A necessary interaction between cognition and action. *Journal of Experimental Psychology: Human Perception and Performance* 27(1): 218–228.

Dawkins, R. 1988. The evolution of evolvability. In *Artificial life: The proceedings of an interdisciplinary workshop on the synthesis and simulation of living systems,* ed. C. G. Langton, 201–220. Redwood City, CA: Addison-Wesley Publishing Co.

de Gelder, B., M. Tamietto, G. van Boxtel, R. Goebel, A. Sahraie, J. van den Stock, B. M. C. Stienen, L. Weiskrantz, and A. Pegna. 2008. Intact navigation skills after bilateral loss of striate cortex. *Current Biology* 18 (24): R1128–R1129.

Edelman, G. M., and J. A. Gally. 2001. Degeneracy and complexity in biological systems. *Proceedings of the National Academy of*

Sciences of the United States of America 98 (24): 13763–13768.

Ereshefsky, M. 2009. Homology: Integrating phylogeny and development. *Biological Theory* 4 (3): 225–229.

Feinberg, T. E., and J. Mallatt. 2020. Phenomenal consciousness and emergence: Eliminating the explanatory gap. *Frontiers in Psychology* 11: 1041.

Félix, M. A. 2005. An inversion in the wiring of an intercellular signal: Evolution of Wnt signaling in the nematode vulva. *BioEssays* 27 (8): 765–769.

Fulda, F. C. 2017. Natural agency: The case of bacterial cognition. *Journal of the American Philosophical Association* 3 (1): 69–90.

Gerkema, M. P., W. I. Davies, R. G. Foster, M. Menaker, and R. A. Hut. 2013. The nocturnal bottleneck and the evolution of activity patterns in mammals. *Proceedings of the Royal Society of London. Series B, Biological Sciences 280*(1765): 20130508.

Gilroy, S., and T. Trewavas (2023) Agency, teleonomy and signal transduction in plant systems. *Biological Journal of the Linnean Society* 139 (4): 514–529.

Ginsburg, S., and E. Jablonka. 2020. Consciousness as a mode of being. *Journal of Consciousness Studies* 27 (9–10): 148–162.

Glock, H. J. 2009. Can animals act for reasons? *Inquiry: A Journal of Medical Care Organization, Provision and Financing* 52 (3): 232–254.

Godfrey-Smith, P. 2017. The subject as cause and effect of evolution. *Interface Focus* 7: 20170022.

Griffin, D. R., and G. B. Speck. 2004. New evidence of animal consciousness. *Animal Cognition* 7 (1): 5–18.

Haag, E. S., and J. R. True. 2018. Developmental system drift. In *Evolutionary developmental biology: A reference guide*, eds. L. Nuño, G. B. de la Rosa, and Müller, 1–12. Cham: Springer.

Hacker, P. M. S. 2007. *Human nature: The categorical framework*. Oxford: Basil Blackwell.

Heesy, C. P., and M. I. Hall. 2010. The nocturnal bottleneck and the evolution of mammalian vision. *Brain, Behavior and*

Evolution 75 (3): 195–203.

Heras-Escribano, M., and P. Calvo. 2020. The philosophy of plant neurobiology. In *The Routledge companion to philosophy of psychology*. 2nd edition, eds. S. Robins, J Symons, and P. Calvo, 529–548. New York: Taylor & Francis Group.

Heylighen, F. 2023. Relational agency: A new ontology for coevolving systems. In *Evolution "on purpose": Teleonomy in living systems,* eds. P. A. Corning, S. A. Kauffman, D. Noble, J. A. Shapiro, R. I. Vane-Wright, and A. Pross, 79–103. Cambridge, MA: MIT Press.

Hunt, D. M., L. S. Carvalho, J. A. Cowing, and W. L. Davies. 2009. Evolution and spectral tuning of visual pigments in birds and mammals. *Philosophical Transactions of the Royal Society of London. Series B, Biological Sciences* 364 (1531): 2941–2955.

Hurley, S. 2003. Animal action in the space of reasons. *Mind and Language* 18 (3): 231–257.

Jablonka, E., and S. Ginsburg. 2022. Learning and the evolution of conscious agents. *Biosemiotics* 15 (3): 401–437.

Kato, R., Zeghbib A., Redgrave P., and T. Isa. 2021. Visual instrumental learning in blindsight monkeys. *Scientific Reports* 11: 14819.

Jablonka, E., and M. J. Lamb. 1995. *Epigenetic inheritance and evolution: The Lamarckian dimension*. Oxford: Oxford University Press.

Jablonka, E., and M. J. Lamb. 2005. *Evolution in four dimensions: Genetic, epigenetic, behavioral, and symbolic variation in the history of life*. Cambridge, MA: MIT Press.

Kauffman, S. A., and A. Roli. 2023. Beyond the Newtonian paradigm: A statistical mechanics of emergence. In *Evolution "on purpose": Teleonomy in living systems,* eds. Corning, P. A., S. A. Kauffman, D. Noble, J. A. Shapiro, R. I. Vane-Wright, and A. Pross, 141–159. Cambridge, MA: MIT Press.

Keijzer, F. A. 2001. *Representation and behavior*. Cambridge, MA.: MIT Press.

Kim, J. 1995. Mental causation in Searle's "Biological Naturalism". *Philosophy and Phenomenological Research* 55 (1): 189–194.

Klein, C., and A. B. Barron. 2016. Insects have the capacity for subjective experience. *Animal Sentience* 9 (1): 1-19.

Knudsen, E. I. 2020. Evolution of neural processing for visual perception in vertebrates. *Journal of Comparative Neurology* 528 (17): 2888–2901.

Lau, H., and D. Rosenthal. 2011. Empirical support for higher-order theories of conscious awareness. *Trends in Cognitive Sciences* 15 (8): 365–373.

Lennox, J. 2001. Kinds, forms of kinds and the more and the less in Aristotle's biology. In *Aristotle's Philosophy of Biology*, ed. J. Lennox, 131–159. Cambridge: Cambridge University Press.

Levine, J. 1983. Materialism and qualia: The explanatory gap. *Pacific Philosophical Quarterly* 64: 354–361.

Lewens, T. 2019. The extended evolutionary synthesis: What is the debate about, and what might success for the extenders look like? *Biological Journal of the Linnean Society* 127 (4): 707–721.

Lewontin, R. C. 1983. The organism as the subject and object of evolution. *Scientia* 118: 63–82.

Machamer, P. K., L. Darden, and C.F. Craver, 2000. Thinking about mechanisms. *Philosophy of Science* 67 (1): 1–25.

Mallatt, J., and T. E. Feinberg. 2021. Multiple routes to animal consciousness: Constrained multiple realizability rather than modest identity theory. *Frontiers in Psychology* 12: 732336.

Maor, R., T. Dayan, H. Ferguson-Gow, and K. E. Jones. 2017. Temporal niche expansion in mammals from a nocturnal ancestor after dinosaur extinction. *Nature Ecology and Evolution* 1 (12): 1889–1895.

Marcel, A. J. 1986. Consciousness and processing: Choosing and testing a null hypothesis. *Behavioral and Brain Sciences* 9 (1): 40–41.

Marcel, A. J. 1988. Phenomenal experience and functionalism. In *Consciousness in modern science*, eds. A. J. Marcel, and E.

Bisiach, 121–158. Oxford: Oxford University Press.

Marshall, J. C., and P. W. Halligan. 1988. Blindsight and insight in visuo-spatial neglect. *Nature* 336 (6201): 766–767.

Matthen, M. 2007. Defining vision: What homology thinking contributes. *Biology and Philosophy* 22 (5): 675–689.

Matthen, M. 2009. Teleology in living things. In *A companion to Aristotle*, ed. G. Anagnostopoulos, 335–347. Oxford: Wiley-Blackwell.

Matthen, M. 2015. The individuation of the senses. In *The Oxford handbook of philosophy of perception*, ed. M. Matthen, 567–585. Oxford: Oxford University Press.

McDonough, J. K. (ed.) 2020. *Teleology: A history.* Oxford: Oxford University Press.

Mestre, D. R., M. Brouchon, M. Ceccaldi, and M. Poncet. 1992. Perception of optical flow in cortical blindness: A case report. *Neuropsychologia* 30 (9): 783–795.

Mikhalevich, I., and R. Powell. 2020. Minds without spines: Evolutionarily inclusive animal ethics. *Animal Sentience* 29 (1): 1-25.

Milner, A. D., and M. A. Goodale. 2008. Two visual systems re-viewed. *Neuropsychologia* 46 (3): 774–785.

Milner, A. D. 2017. How do the two visual streams interact with each other? *Experimental Brain Research* 235(5): 1297–1308.

Morgan, C. L. 1900. *Animal behaviour*. London: Edward Arnold.

Müller, G. B. 2003. Homology: The evolution of morphological organization. In *Origination of organismal form: Beyond the gene in developmental and evolutionary biology*, eds. G. B. Müller, and S. A. Newman, 51–69. Cambridge, MA: MIT Press.

Naccache, L. 2006. Is she conscious? *Science* 313 (5792): 1395–1396.

Nakajima, T. 2017. Ecological extension of the theory of evolution by natural selection from a perspective of Western and Eastern holistic philosophy. *Progress in Biophysics and Molecular Biology* 131: 298–311.

Nakajima, T. 2022. Computation by inverse causality: A universal principle to produce symbols for the external reality in living systems. *BioSystems* 218: 104692.

Newcomb, J. M., A. Sakurai, J. L. Lillvis, C. A. Gunaratne, and P. S. Katz. 2012. Homology and homoplasy of swimming behaviors and neural circuits in the Nudipleura (Mollusca, Gastropoda, Opisthobranchia). *Proceedings of the National Academy of Sciences of the United States of America* 109 (Supplement 1): 10669–10676.

Noble, D., and R. Noble. 2023. How purposive agency became banned from evolutionary biology. In *Evolution "on purpose": Teleonomy in living systems,* eds. Corning, P. A. S. A. Kauffman, D. Noble, J. A. Shapiro, R. I. Vane-Wright, and A. Pross, 221–235. Cambridge, MA: MIT Press.

Okasha, S. 2018. *Agents and goals in evolution.* Oxford: Oxford University Press.

Ota, K., Suzuki, D. G. and S. Tanaka. 2022. Phylogenetic distribution and trajectories of visual consciousness: Examining Feinberg and Mallatt's neurobiological naturalism. *Journal for General Philosophy of Science* 53: 459–476.

Peckham, G. W., and E. G. Peckham, 1898. *On the habits and instincts of the solitary wasps.* Madison, WI: State of Wisconsin.

Pigliucci, M., and G. B. Müller. (eds.) 2010. *Evolution: The extended synthesis.* Cambridge, MA: MIT Press.

Pittendrigh, C. S. 1958. Adaptation, natural selection, and behavior. In *Behavior and evolution*, ed. A. Roe, and G. G. Simpson, 390–416. New Haven: Yale University Press.

Powell, R. 2020. *Contingency and convergence: Towards a cosmic biology of body and mind.* Cambridge, MA: MIT Press.

Rosenthal, D. M. 2002. Explaining consciousness. In *Philosophy of mind: Classical and contemporary readings*, ed. D. J. Chalmers, 406–421. Oxford: Oxford University Press.

Rosenthal, D. M. 2008. Consciousness and its function. *Neuropsychologia* 46 (3): 829–840.

Sakurai, A., and P. S. Katz. 2017. Artificial synaptic rewiring demonstrates that distinct neural circuit configurations underlie homologous behaviors. *Current Biology* 27 (12): 1721–1734.e3.

Sakurai, A., J. M. Newcomb, J. L. Lillvis, and P. S. Katz. 2011. Different roles for homologous interneurons in species exhibiting similar rhythmic behaviors. *Current Biology* 21 (12): 1036–1043.

Schlosser, M. 2019. Agency. *The stanford encyclopedia of philosophy* (winter 2019 edition), ed. E. N. Zalta（URL = https://plato.stanford.edu/archives/win2019/entries/agency/〔最終閲覧：二〇二四年二月二十六日〕）.

Searle, J. R. 1992. *The rediscovery of the mind*. Cambridge, MA: MIT press.

Shimizu, T., and S. Watanabe. 2012. The avian visual system: Overview. In *How animals see the world: Comparative behavior, biology, and evolution of vision*, eds. O. F. Lazareva, T. Shimizu, and E. A. Wasserman, 473–482. Oxford: Oxford University Press.

Sommer, R. J. 2008. Homology and the hierarchy of biological systems. *BioEssays* 30 (7): 653–658.

Suzuki, D. G. 2021. Consciousness in jawless fishes. *Frontiers in Systems Neuroscience* 15: 751876.

Suzuki, D. G. 2022a. The anthropic principle for the evolutionary biology of consciousness: Beyond anthropocentrism and anthropomorphism. *Biosemiotics* 15 (1): 171–186.

Suzuki, D. G. 2022b. A general model of and lineage-specific ground plans for animal consciousness. *Annals of the Japan Association for Philosophy of Science* 31: 5–29.

Suzuki, D. G., and S. Tanaka. 2017. A phenomenological and dynamic view of homology: Homologs as persistently reproducible modules. *Biological Theory* 12 (3): 169–180.

Suzuki, T. 2022. The evolutionary origins of consciousness: A key to the solution of the hard problem of consciousness? *Annals of the Japan Association for Philosophy of Science* 31: 55–73.

Thompson, M. 2008. *Life and action: Elementary structures of practice and practical thought*. Cambridge, MA: Harvard University

Press.
Thoreson, W. B., and D. M. Dacey. 2019. Diverse cell types, circuits, and mechanisms for color vision in the vertebrate retina. *Physiological Reviews* 99 (3): 1527–1573.
Trestman, M. 2013. The Cambrian explosion and the origins of embodied cognition. *Biological Theory* 8 (1): 80–92.
Trewavas, T. 2023. Agency, teleonomy, purpose, and evolutionary change in plant systems. In *Evolution "on purpose": Teleonomy in living systems,* eds. Corning, P. A. S. A. Kauffman, D. Noble, J. A. Shapiro, R. I. Vane-Wright, and A. Pross, 299–323. Cambridge, MA: MIT Press.
True, J. R., and E. S. Haag. 2001. Developmental system drift and flexibility in evolutionary trajectories. *Evolution and Development* 3 (2): 109–119.
Tye, M. 2017. *Tense bees and shell-shocked crabs: Are animals conscious*? New York: Oxford University Press.
van Polanena, V. and M. Davare. 2015. Interactions between dorsal and ventral streams for controlling skilled grasp. *Neuropsychologia* 79: 186–191.
Veit, W. 2022. Towards a comparative study of animal consciousness. *Biological Theory* 17: 292–303.
Walsh, D. M. 2006. Evolutionary essentialism. *British Journal for the Philosophy of Science* 57 (2): 425–448.
Walsh, D. M. 2008. Teleology. In *The Oxford handbook of philosophy of biology*, ed. M. Ruse, 113–137. Oxford: Oxford University Press.
Walsh, D. M. 2015. *Organisms, agency, and evolution*. Cambridge: Cambridge University Press.
Walsh, D. M. 2018. Objectcy and agency: Toward a methodological vitalism. In *Everything Flows: Towards a process biology,* eds. D. J. Nicholson, and J. Dupré, 167–185. Oxford: Oxford University Press.
Walsh, D. M. 2023. Evolutionary foundationalism: The myth of the chemical given. In *Evolution "on purpose": Teleonomy in*

living systems, eds. Corning, P. A. S. A. Kauffman, D. Noble, J. A. Shapiro, R. I. Vane-Wright, and A. Pross, 341–362. Cambridge, MA: MIT Press.

Weiskrantz, L. 1986. *Blindsight: A case study and implications*. Oxford: Oxford University Press.

Weiskrantz, L. 1997. *Consciousness lost and found: A neuropsychological exploration*. Oxford: Oxford University Press.

Weiskrantz, L., E. K. Warrington, M. D. Sanders, and J. Marshall. 1974. Visual capacity in the hemianopic field following a restricted occipital ablation. *Brain* 97 (4): 709–728.

West-Eberhard, M. J. 2003. *Developmental plasticity and phenotypic evolution*. Cambridge: Cambridge University Press.

Wheeler, B. C. 2009. Monkeys crying wolf? Tufted capuchin monkeys use anti-predator calls to usurp resources from conspecifics. *Proceedings of the Royal Society B: Biological Sciences* 276 (1669): 3013–3018.

Wooldridge, D. E. 1963. *The machinery of the brain.* New York: McGrew-Hill Book Company, Inc.

Wylie, D. R., C. Gutierrez-Ibanez, J. M. Pakan, and A. N. Iwaniuk. 2009. The optic tectum of birds: Mapping our way to understanding visual processing. *Canadian Journal of Experimental Psychology* 63 (4): 328–338.

Yoshida, M., L. Itti, D. J. Berg, T. Ikeda, R. Kato, K, Takaura, B. J. White, D. P. Munoz, and I. Tadashi. 2012. Residual attention guidance in blindsight monkeys watching complex natural scenes. *Current Biology* 22 (15): 1429–1434.

田中　泉吏（たなか・せんじ）
慶應義塾大学文学部准教授。専門は科学哲学。著作に『生物学の哲学入門』（共著、勁草書房、2016年）など。

鈴木　大地（すずき・だいち）
筑波大学生命環境系助教、北海道大学人間知×脳×AI研究教育センター（CHAIN）客員研究員。専門は進化形態学、神経行動学、動物意識研究。訳書にファインバーグ＆マラット『意識の進化的起源』（勁草書房、2017年）、ギンズバーグ＆ヤブロンカ『動物意識の誕生』（勁草書房、2021年）など。

太田　紘史（おおた・こうじ）
筑波大学人文社会系准教授。専門は心の哲学、倫理学。編著書に『シリーズ新・心の哲学』（全3巻、勁草書房、2014年）など。

慶應義塾大学三田哲学会叢書
意識と目的の科学哲学

2024年5月25日　　初版第1刷発行
2024年7月16日　　初版第3刷発行

著者――――――田中泉吏・鈴木大地・太田紘史
発行――――――慶應義塾大学三田哲学会
〒108-8345　東京都港区三田2-15-45
https://mitatetsu.keio.ac.jp/
制作・発売所――慶應義塾大学出版会株式会社
〒108-8346　東京都港区三田2-19-30
TEL〔編集部〕03-3451-0931
〔営業部〕03-3451-3584〈ご注文〉
FAX〔営業部〕03-3451-3122
https://www.keio-up.co.jp/
装丁――――――大倉真一郎
組版――――――株式会社キャップス
印刷・製本―――中央精版印刷株式会社
カバー印刷―――株式会社太平印刷社

Printed in Japan　ISBN978-4-7664-2962-6

「慶應義塾大学三田哲学会叢書」の刊行にあたって

このたび三田哲学会では叢書の刊行を行います。本学会は、1910年、文学科主任川合貞一が中心となり哲学専攻において三田哲学会として発足しました。1858年に蘭学塾として開かれ、1868年に慶應義塾と命名された義塾は、1890年に大学部を設置し、文学、理財、法律の3科が生まれました。文学科には哲学専攻、史学専攻、文学専攻の3専攻がありました。三田哲学会はこの哲学専攻を中心にその関連諸科学の研究普及および相互理解をはかることを目的にしています。

その後、1925年、三田出身の哲学、倫理学、社会学、心理学、教育学などの広い意味での哲学思想に関心をもつ百数十名の教員・研究者が集まり、相互の学問の交流を通して三田における広義の哲学を一層発展させようと意図して現在の形の三田哲学会が結成されます。現在会員は慶應義塾大学文学部の7専攻（哲学、倫理学、美学美術史学、社会学、心理学、教育学、人間科学）の専任教員と学部学生、同大学院文学研究科の2専攻（哲学・倫理学、美学美術史学）の専任教員と大学院生、および本会の趣旨に賛同する者によって構成されています。

1926年に学会誌『哲学』を創刊し、以降『哲学』の刊行を軸とする学会活動を続けてきました。『哲学』は主に専門論文が掲載される場で、研究の深化や研究者間の相互理解には資するものです。しかし、三田哲学会創立100周年にあたり、会員の研究成果がより広範な社会に向けて平易な文章で発信される必要性が認められ、その目的にかなう媒体が求められることになります。そこで学会ホームページの充実とならんで、この叢書の発刊が企図されました。

多分野にわたる研究者を抱える三田哲学会は、その分、多方面に関心を広げる学生や一般読者に向けて、専門的な研究成果を生きられる知として伝えていかなければならないでしょう。私物化せず、死物化もせずに、知を公共の中に行き渡らせる媒体となることが、本叢書の目的です。

ars incognita　アルス インコグニタは、ラテン語ですが、「未知の技法」という意味です。慶應義塾の精神のひとつに「自我作古（我より古を作す）」、つまり、前人未踏の新しい分野に挑戦し、たとえ困難や試練が待ち受けていても、それに耐えて開拓に当たるという、勇気と使命感を表した言葉があります。未だ知られることのない知の用法、単なる知識の獲得ではなく、新たな生の技法（ars vivendi）としての知を作り出すという本叢書の精神が、慶應義塾の精神と相まって、表現されていると考えていただければ幸いです。

慶應義塾大学三田哲学会